Week-end à

JENNIFER GREENE

Week-end à Cœur d'Alène

HARLEQUIN

COLLECTION ROUGE PASSION

*Cet ouvrage a été publié en langue anglaise
sous le titre :*
DANCING IN THE DARK

Originally published by SILHOUETTE BOOKS,
division of Harlequin Enterprises Ltd.
Toronto, Canada

83-85, boulevard Vincent-Auriol, 75013 Paris — Tél. : 45 82 22 77
ISBN 2-280-12278-2 — ISSN 0993-443X

1.

— Ne crois surtout pas que je cherche à te forcer la main.

— Mais non, Kay.

— Je ne veux pas jouer les entremetteuses, mais simplement te présenter une amie.

— Bien sûr, Kay.

— Et si tu continues à prendre cet air résigné, je t'assomme !

Tim sourit.

— De quoi te plains-tu ? Je suis ici...

— C'est bien parce que j'ai insisté.

Il ôta sa veste en peau de mouton et fit la grimace en voyant sa chaise.

Solennel et vieillot, cet amphithéâtre de l'Université de l'Idaho semblait avoir été conçu pour des nains, avec des sièges minuscules. Kay se glissa sans problème sur le sien, malgré tout son attirail : chapeau, gants, manteau et écharpe.

Il prit place à côté d'elle, repliant tant bien que mal ses grandes jambes, et souffrant d'avance de devoir passer deux heures dans cette position inconfortable. C'était bien par amitié pour Kay qu'il avait accepté de la suivre ce soir à une conférence d'anthropologie...

— Crois-tu que je devrais téléphoner à la maison? demanda cette dernière.

— Tu viens à peine d'arriver. Mitch s'en sort certainement très bien avec les jumelles.

— Il va encore les gaver de bonbons... Ah, moi qui espérais qu'il serait un bon père de famille, tendre, affectueux, mais aussi capable d'autorité. Tu parles! Elles le mènent par le bout du nez. A l'heure actuelle, je parie qu'elles sont en train de mettre la maison sens dessus dessous avec leurs tricycles...

— C'est probable. Tu veux aller voir? proposa innocemment Tim.

Kay lui jeta un regard menaçant.

— Encore un mot, et tu vas le regretter!

— Qu'est-ce que j'ai encore dit?

— Rien. C'est le ton que tu emploies qui m'irrite. Fais-toi une raison, nous ne bougerons pas d'ici. Tu verras, je suis sûre qu'elle te plaira. Susan est une fille formidable, et ses conférences sont passionnantes. Sinon, crois-tu que les étudiants se bousculeraient pour y assister? Et puis, ça ne te fera pas de mal de te cultiver un peu...

Autour d'eux, on se disputait les dernières places libres. Résigné, Tim songea qu'en échange de sa bonne volonté il lui serait peut-être possible de faire un petit somme pendant le cours. Les paupières lourdes, calé sur son dossier, il bâilla.

— Ne t'endors pas! siffla Kay à voix basse.

Les amis... l'ennui, avec eux, c'est qu'ils vous connaissent trop, ou alors pas assez. Tim nourrissait depuis toujours un tendre sentiment pour Kay, aussi ne l'écoutait-il pas sans une pointe d'amertume lui parler de son mari et de ses enfants. Mais, par pudeur, il se gardait bien de le lui avouer...

Pour la même raison, il supportait patiemment ses innombrables démarches pour lui trouver une compagne. Tentatives qui, si elles avaient été peu concluantes, n'avaient pas découragé Kay pour autant.

Un mouvement se fit dans la salle. Le grand moment était arrivé. Celui de l'entrée en scène de la nouvelle prétendante désignée par sa vieille complice pour être l'élue de son cœur. Résigné, prêt à tout, il la regarda s'avancer.

Mais, ô surprise, elle était jolie ! Très jolie, même... Il faut dire qu'il s'attendait au pire, les idées de Kay en matière de femme fatale étant des plus éclectiques. Aussi fut-il stupéfait de découvrir au contraire une ravissante créature svelte et élancée, moulée dans une robe coquelicot qui laissait entrevoir de longues jambes fuselées. Elle s'assit gracieusement en face du micro et alluma la lampe.

— Tout le monde est-il prêt ?

La séductrice avait une voix chaude, caressante, à peine voilée...

Le silence se fit dans l'amphithéâtre. Tout émoustillé, Tim lorgna d'un œil languide Mademoiselle le Professeur autrement dit l'aimable jeune personne à boucles blondes qui portait, relevées sur le front, des lunettes d'écaille. La bouche petite et bien dessinée, les yeux noisette, vifs et étonnamment mobiles, elle avait le visage ovale et régulier, curieusement terminé par un nez en trompette.

D'après le portrait que lui en avait tracé Kay, il imaginait une pauvrette craintive et effacée, traumatisée par un chagrin d'amour. D'où sa stupeur ! Oui, Kay s'était bien moquée de lui en lui laissant croire que l'adorable, la délicieuse, l'exquise Susan Markham se morfondait dans la solitude. Mignonne à croquer, la blonde et sémillante conférencière semblait totalement dépourvue de complexes et respirait la joie de vivre. Et point n'était besoin à Tim de regarder dans la salle pour se convaincre qu'il n'était pas le seul à être ainsi séduit. En effet, sans correspondre trait pour trait aux canons traditionnels de la beauté, elle éblouissait par son charme et sa vivacité, à l'image de ce sourire mutin qui éclairait son beau visage.

Elle se racla la gorge.

— Comme d'habitude, j'aborderai aujourd'hui un sujet quelque peu... délicat.

L'auditoire s'égaya. Elle remit ses lunettes devant ses yeux.

— La nature nous joue un vilain tour lorsque nous tombons amoureux...

Tim se gratta le menton. Sans connaître grand-chose à l'anthropologie, il s'attendait néanmoins à entendre parler de fossiles ou de civilisations disparues...

— Notre organisme dispose de toute une palette de substances chimiques, telle l'adrénaline, qui n'agit qu'en cas de stress ou de danger, ou encore le phényléthylamine, dont l'effet est aussi puissant que celui de l'héroïne....

Elle observa un silence.

— A première vue, reprit-elle, un tel sujet intéresse plutôt le poète que le scientifique. Nombreux, d'ailleurs, sont ceux qui croient qu'amour et poésie sont une seule et même chose. Ils ont tort. Car nous tombons amoureux comme nous tombons malades: pour de bon ; notre pouls s'accélère, notre gorge se noue, nos oreilles tintent, autant de symptômes qui traduisent un brusque afflux de phényléthylamine au cerveau. Il s'agit donc là d'une substance extrêmement active, dont on n'a que trop tendance à sous-estimer le rôle...

— Je t'avais bien dit qu'elle était passionnante, chuchota Kay.

Mutisme complet de la part de Tim, captivé par Susan.

Celle-ci offrait en effet un spectacle étonnant. Passionnée par son sujet, s'animant en parlant, elle ne cessait de gesticuler sur son siège comme si elle avait le plus grand mal à rester en place. Pour la énième fois, elle remonta ses manches, puis les rabaissa, et enfin elle se leva pour aller et venir sur l'estrade, le micro épinglé au revers de sa robe.

A première vue on aurait juré qu'elle était nerveuse et qu'elle avait le trac, mais tout compte fait son agitation n'était que le signe d'un naturel exubérant et démonstratif. Dotée d'un solide sens de l'humour, elle émaillait ses propos de plaisanteries et de remarques cocasses qui déclenchaient l'hilarité de l'auditoire. Car il existait une complicité évidente entre elle et ses étudiants. Ils savaient, eux, à quoi s'en tenir. Pas lui.

A l'en croire, c'était par le biais de cette substance, le phényléthylamine, que la nature assurait la perpétuation de l'espèce. Mais hélas, comme c'est souvent le cas en pareille occasion, il se produisait un phénomène d'accoutumance, de sorte qu'avec le temps l'organisme cessait de réagir aux mêmes stimuli et que l'ennui et la lassitude s'installaient dans le couple, menacé de dissolution.

— Cela entre également dans le dessein de la nature. Si notre époque s'alarme du taux élevé de divorces, c'est tout simplement parce que nous oublions que le système monogamique n'est pas inhérent à la condition humaine. La nature ne s'embarrasse pas de critères religieux ou moraux. Elle ne vise qu'à la survie de l'espèce, qui passe par la reproduction. De ce point de vue, la monogamie représente à terme une grave menace pour le genre humain…

Tim restait perplexe en l'écoutant. Drapée dans son autorité professorale, Susan assenait ces étranges vérités sur un ton péremptoire parfaitement horripilant. Sa thèse était hardie, sinon franchement choquante, et plutôt démoralisante pour les jeunes gens et les jeunes filles qui noircissaient leurs cahiers. Songez : cette petite effrontée qui gigotait comme un diable en boîte n'était-elle pas en train de réduire l'amour et les liens sacrés du mariage à un simple mécanisme biochimique ?

Poursuivant sa démonstration, elle soulignait maintenant la difficulté de résister à l'action du phényléthylamine, autrement dit à ne pas convoler en justes noces avec le premier venu...

Elle était fascinante et Tim ne la quittait pas des yeux. Elle avait un rire clair et communicatif en diable, ainsi qu'une façon bien à elle de rejeter la tête en arrière ou de tenir son auditoire en haleine en modulant sa voix...

Elle enchaîna avec une logique impitoyable :

— Voilà à quoi nous sommes confrontés...

Dotée d'une énergie inépuisable, elle montrait un aplomb formidable et une candide impertinence. Mais pourquoi devinait-il, derrière ses airs émancipés de brillante intellectuelle, un être fragile et hyper-sensible ?

A neuf heures moins le quart elle consulta sa montre et s'arrêta brusquement de parler.

— Pourquoi ne pas m'avoir prévenue que je dépassais l'heure ? Il fallait m'interrompre, voyons. Allez, je vous libère. Nous continuerons mercredi prochain.

Un soupir traversa l'auditoire, suivi d'un bruit de classeurs qui se ferment, de livres qui tombent, et du brouhaha des conversations. Kay lui décocha un sourire entendu, comme pour dire : “Tu vois bien, c'est une fille épatante”.

Tim ne chercha pas à la contredire. L'eût-il voulu que cela d'ailleurs n'eût servi à rien car il avait déjà été décidé qu'ils iraient tous les trois prendre un café en ville après la conférence.

Il s'étira, heureux de se détendre après ces deux heures d'immobilité forcée.

— Je t'en prie, tiens-toi bien ; j'ai eu suffisamment de mal à la décider. Alors, je ne veux pas te voir bâiller, ni prendre cet air las, commanda Kay.

— Je suis debout depuis cinq heures du matin, et j'ai sommeil.

— Tant pis. Fais un effort, que diable !

Machinalement, elle lui redressa le col de sa canadienne, toujours aussi maternelle avec son vieil ami Tim, lequel aurait peut-être préféré de toutes autres démonstrations d'affection...

— Regarde-moi ça, tu es tout débraillé... Ah, que ne donnerais-je pas pour te trouver une femme qui s'occupe de toi ! Depuis combien de temps portes-tu cette veste ?

— Une quinzaine d'années.

— Je dirai à Mitch de t'emmener faire des courses.

— Ton mari est un ami, mais il déteste à peu près autant que moi traîner dans les magasins.

— Je te demande pardon ?

Le dos tourné, Kay était en train de récupérer tout son attirail de femme coquette. Tim, quant à lui, avait pour principe de circuler les mains dans les poches ; ça facilitait les déplacements.

— En quoi ma tenue vestimentaire importe-t-elle ? Tu m'as bien expliqué qu'il ne s'agit pas de me pousser dans ses bras, mais juste de me la présenter, parce que la pauvre fille est seule, qu'elle vit cloîtrée, qu'elle ne voit jamais personne et qu'elle a peur de tout le monde...

— Ce n'est pas ce que j'ai dit.

— Si. Tu es même allée plus loin...

— Susan est timide.

— Ça se voit...

Gantée, enveloppée dans un long manteau de laine, Susan se frayait un passage dans l'allée centrale, en glissant çà et là un mot à ses étudiants. Une fois encore, Tim l'entendit rire, de ce rire cristallin et joyeux.

— Qu'est-ce qu'elle est timide!...

— Je t'assure, elle n'est pas du tout comme ça en réalité, répliqua Kay.

“Comment” donc était-elle? Il lui tardait d'en savoir un peu plus... Il eut déjà un premier élément de réponse en la voyant se jeter dans les bras de son amie et papoter avec elle pendant une bonne dizaine de minutes avant de s'apercevoir, enfin, de sa présence...

Elle regarda à deux reprises dans sa direction. Le voyait-elle? Il réprima un sourire, cherchant à la deviner.

Il ne tarda pas à être fixé. Elle s'interrompit subitement, ses yeux s'arrondirent, elle porta la main à son cœur.

— Seriez-vous Tim, par hasard?

— Exact.

— Ça alors!

Une lueur d'ironie brillait dans ses prunelles noisette. Tel un amateur d'art devant un bel éphèbe, elle décrivit lentement un cercle complet autour de lui, détaillant méthodiquement les différents attributs de sa personnalité. Puis, le dévisageant tranquillement, elle passa en revue son cou puissant, sa mâchoire virile — qui la laissaient apparemment indifférente — s'attarda un instant sur sa bouche, s'en détacha à regret, et s'arrêta avec un soupir d'aise dans sa tignasse ébouriffée.

Elle se tourna vers Kay qui se taisait, médusée

— Il est exactement comme tu me l'as décrit! Je le trouve adorable; oui, un vrai chou. Un peu filiforme, peut-être, mais quel homme!

Kay pâlit. Visiblement, elle n'appréciait pas la plaisanterie. Susan serait-elle devenue folle? Sinon, à quoi donc jouait-elle? Cette dernière en effet continuait à examiner Tim effrontément.

— Etes-vous aussi ardent qu'on le dit? demanda-t-elle avec impudence.

Sérieux comme un pape, il répondit :

— Et comment ! Vous ne pouvez pas imaginer mes talents dans ce domaine...

— Qui vous dit que je n'ai pas d'imagination?

— Oh, mais je suis sûr que vous en avez.

— De l'imagination ou des talents?

— Des talents évidemment.

— Cela nous fait donc déjà un point commun. Maintenant, combien d'enfants voulez-vous?

— Douze.

Elle fit la moue.

— Moi, je n'en veux que dix. Nous pourrions peut-être couper la poire en deux. Que dites-vous de onze?

— Onze?

— Il est merveilleux, roucoula-t-elle en se tournant vers Kay.

Kay se racla la gorge.

— J'ai comme l'impression que vous êtes en train de vous payer ma tête, tous les deux. Ce n'est pas chic. Quel ridicule y a-t-il à présenter deux célibataires?

— Voyons, Kay, nous ne te faisons aucun reproche. N'est-ce pas, Tim?

Mal à l'aise, il cherchait à se donner une contenance.

— Depuis le début, j'ai été sage comme une image. Elle me l'avait assez seriné : "Sois gentil avec elle", "ne t'endors pas pendant le cours","arrête de bâiller"...

— Allez, ça suffit !

Kay attrapa Susan par la manche et la poussa vers la sortie.

— Quand je pense que c'est moi qui ai eu l'idée d'organiser cette rencontre ! soupira-t-elle.

Kay était la seule à être venue en voiture, Moscow ne s'avérant pas une agglomération si grande que l'on ne puisse s'y déplacer à pied. Ils montèrent tous les trois dans son véhicule. Il faisait nuit noire, et l'air, très vif, était immobile. Main Street, l'endroit choisi pour cette prise de contact, fermait théoriquement à neuf heures, mais on accepta néanmoins de les servir. D'autorité, Kay s'installa au fond du restaurant avec ses deux compagnons. Tim se laissa docilement placer entre elle et Susan, contre laquelle il se serra machinalement.

Les clients, pour la plupart, avaient fini de dîner, mais voyant un assortiment de pâtisseries sur la table voisine, Tim commanda avec son café un mille-feuilles, une part de tarte au fromage, ainsi qu'une belle tranche de gâteau au chocolat. Kay leva les yeux au ciel.

— Avez-vous toujours autant d'appétit? demanda Susan.

— Toujours. J'adore tout particulièrement les beignets à la cerise...

— Oui, nous avons tous nos petits péchés mignons. Enfin je suppose que vous n'avez pas que cela dans votre vie...

— T'ai-je dit, Tim, coupa Kay, que Susan est passionnée de spéléologie?

— Vraiment? Alors ça nous fait un deuxième point commun.

— Eh bien! Tout cela est parfait. Et maintenant, mon cher Tim, que voulez-vous faire: rentrer directement avec moi, ou bien attendre la publication des bans?

La superbe créature qui venait de tenir en haleine une centaine d'étudiants avec ses histoires abracadabrantes de phényléthylamine lui coula une œillade en papillotant des cils.

— Vous êtes absolument superbe, vous savez! M'autorisez-vous à vous le dire?

— Non seulement je vous y autorise, mais je vous y encourage... et il y a mille façons de dire cela à un homme, acheva-t-il en la regardant à son tour droit dans les yeux.

— Quand cesserez-vous de jouer à ce petit jeu... murmura Kay.

— Un jeu. Quel jeu? continua Susan.

Puis, se tournant vers Tim :

— Quand il existe autant d'affinités entre un homme et une femme, ce serait idiot de faire des manières...

Elle soutenait son regard mais il crut déceler dans ses yeux comme une subite lassitude. Il hésita mais elle l'avait trop provoqué, et l'excitation qu'avait fait naître entre eux ce petit jeu était trop fort pour qu'il n'obéisse pas à l'envie soudaine de la défier pour de bon :

— Voilà beaucoup de promesses et beaucoup trop de paroles. Ne croyez-vous pas qu'il serait temps de passer aux travaux pratiques? Je vous propose donc de...

Mais Susan ne sut jamais ce que Tim allait lui proposer car Kay, à bout de patience, venait de taper sur la table.

— Ecoutez-moi, vous deux. Si je vous promets de ne plus jamais vous présenter à quiconque, seriez-vous disposés en échange à avoir entre vous une conversation normale?

Tim jeta un regard perplexe en direction de Susan.

— Je croyais que c'était ce qu'elle voulait...

— Moi de même. Puis-je goûter à votre tarte au fromage?

— Bien sûr. Tu en veux un bout, Kay?

— Non. Je veux rentrer à la maison, auprès de mon mari et de mes enfants. Ils m'aiment, eux, au moins...

— Mais nous t'aimons aussi beaucoup, protesta Tim.

— Enormément, renchérit Susan.

Elle se tourna vers Tim :

— Croyez-vous que ça lui servira de leçon?

— Absolument.

Elle fit une grimace espiègle.

— Je n'en suis pas persuadée…

Portant sa tasse à ses lèvres, elle ajouta :

— C'est la troisième fois en six mois qu'elle essaie de me caser. Je ne sais pas comment elle a réussi à vous faire venir, mais moi j'ai fini par céder…

— Je le regrette, croyez-le bien. Si vous saviez comme je m'en mords les doigts…, gémit la coupable.

— La punition me paraît suffisante, observa Tim, magnanime, en feignant de ne pas la voir pouffer.

Tous trois s'esclaffèrent. Ils ne quittèrent le restaurant qu'à la fermeture et restèrent encore un long moment dehors à rire et à parler. Puis, flanquée de ses joyeux comparses, Kay finit par regagner son véhicule.

Susan et Tim regardèrent un moment la voiture s'éloigner puis il n'y eut plus entre eux que le poids de ce soudain silence qui venait de retomber derrière elle.

La rue était déserte. Il n'y avait pas un souffle de vent, et la lune brillait dans un ciel plein d'étoiles. Susan demeurait immobile, les mains enfoncées dans les poches de son manteau. Elle faisait toujours bonne figure, mais le cœur n'y était plus, et Tim sentait bien que c'était uniquement par amitié pour Kay qu'elle s'était prêtée à ce petit jeu.

— Ne vous méprenez pas sur mes intentions, dit-elle en retrouvant l'usage de la parole, je m'amusais seulement à la taquiner. Pour rien au monde je ne voudrais lui faire de peine. Kay a toujours été une excellente amie.

— Oui, je pourrais dire la même chose, soupira Tim.

La soirée lui laissait une impression étrange et indéfinissable. Susan et lui s'étaient livrés à une aimable joute verbale, multipliant les piques et les plaisanteries parfois osées, sous l'œil faussement courroucé de Kay, comme s'ils étaient les meilleurs amis du monde. Il fallait bien admettre que Susan lui avait facilité la tâche. Dès l'instant où elle l'avait ainsi déshabillé des yeux, il avait compris que la mignonne était une coquine et qu'elle possédait un sacré tempérament !

Et dire qu'il ne la connaissait même pas ! Il lui tardait de réparer cet oubli...

Elle était très différente de Kay, même s'il est toujours un peu vain de se livrer à ce genre de comparaisons. Kay, sa vieille amie Kay, avait jadis été son premier béguin, et malgré d'innombrables aventures sentimentales, elle demeurait la seule femme qui ait jamais compté à ses yeux. Il ne l'avait pas fait exprès. C'était bien malgré lui qu'il continuait à l'aimer en secret, si tant est que l'on ne saurait aller contre son cœur, et que dans la vie de certains hommes, il n'y a parfois qu'une femme...

Cela revenait régulièrement à la surface quand il faisait une nouvelle rencontre. Mais du moment que l'on n'empiétait pas sur sa liberté et que l'on avait la discrétion de ne pas évoquer le sujet devant lui, il se montrait le meilleur des compagnons, tendre, affectueux, et gentiment protecteur. Au fil des ans, il avait ainsi parfaitement rodé son personnage de charmant garçon et multiplié les conquêtes féminines...

Avec Susan, c'était tout autre chose. Elle le fascinait, en dehors même de l'évident attrait sensuel qu'elle exerçait sur lui. Elle était si... belle, si naturelle aussi ; avec ses boucles folles subtilement dorées par la lumière du réverbère et les quelques taches de son qui transparaissaient sous la fine couche de maquillage.

Il eut envie de la toucher, de la caresser... Avec n'importe qui d'autre, il n'aurait pas hésité. Mais là, quelque chose le retenait, la peur de la choquer, de l'éloigner définitivement...

Ce n'était qu'une impression, bien sûr, et Susan ne lui avait, certes, pas paru farouche. Elle donnait l'image d'une femme active, indépendante, et décidée. Mais était-ce son teint pâle et ses yeux cernés, elle lui apparut tout à coup comme infiniment émouvante. Comme s'il pouvait déceler, sous ses airs dégagés, un être au cœur pur, hypersensible et vulnérable.

Il s'abstint par conséquent de toute familiarité.

— De quel côté habitez-vous? interrogea-t-il.

— Sur A Street, tout près d'ici.

— Alors nous sommes voisins. Je réside pour ma part sur B Street. Avez-vous froid?

— Pas du tout, répondit-elle d'un vilain mensonge, car elle grelottait sous son léger manteau. Vous devez toujours être obligé de ralentir l'allure quand vous marchez avec quelqu'un...

— C'est vrai. Que voulez-vous, je suis bâti pour faire la course avec un zèbre ou une girafe...

— Malheureusement, il n'y en a pas beaucoup dans la région.

Il se dérida, heureux de la voir retrouver sa belle humeur. Le silence retomba. Pour une raison simple: en dépit du ton badin dont elle avait usé avec lui tout au long de la soirée, Susan lui avait également bien fait comprendre qu'elle n'était pas actuellement à la recherche d'une aventure sentimentale. Lui-même ayant sous-entendu la même chose, tout était clair entre eux et point n'était besoin de meubler la conversation pour masquer un trouble qui n'existait pas.

Le vent se leva soudain, agitant les feuilles dans les arbres et ranimant en Tim un émoi qu'il s'efforça immédiatement d'oublier. Ils poursuivirent leur chemin comme si de rien n'était.

Les choses commencèrent à se gâter en arrivant au carrefour de A Street et de l'avenue de l'Indépendance lorsqu'il quitta machinalement le trottoir pour la suivre. Mais, aussitôt, elle l'arrêta d'un geste:

— Soyez donc raisonnable. Vous n'avez pas besoin de

me raccompagner jusque chez moi. Je fais ce trajet tous les soirs, et il ne m'est jamais rien arrivé. D'ailleurs, vous devez vous lever à l'aube : Kay m'a dit que vous teniez cet établissement, sur Walker Street, qui sert des petits déjeuners...

— C'est juste un tout petit détour, plaida-t-il.

Elle ne céda point.

— Peut-être, mais à quoi bon vous donner cette peine ? J'ai vingt-neuf ans, et nul besoin d'ange gardien. Allez donc vous coucher, sinon vous serez fatigué demain matin...

Pour le décider tout à fait, elle ajouta avec le sourire :

— Quant à notre amie Kay, il est temps qu'elle laisse les grandes personnes se débrouiller toutes seules. C'est drôle, depuis la naissance des jumelles, elle nous traite tous comme ses enfants...

Il rit, tandis qu'elle s'éloignait en trottinant. Parvenue à quelque distance, elle se retourna pour lui souhaiter bonne nuit :

— A bientôt, peut-être ! lança-t-elle en guise d'adieu.

Il n'y avait pas lieu d'insister. Ainsi qu'elle le disait, elle ne risquait rien le soir dans les rues de Moscow. D'autre part, il venait juste de faire sa connaissance, et il ne voulait pas l'importuner. Il la laissa donc partir. Peu à peu, sa silhouette se fondit dans l'obscurité. En la voyant disparaître, il éprouva un petit pincement au cœur : elle avait beau être en sécurité, il aurait préféré la savoir chez elle, bien au chaud. Elle lui sembla de nouveau si fragile, et si précieuse à la fois, qu'en lui resurgit, tenace, le besoin irrationnel de la protéger...

Absurde ! se dit-il en faisant la grimace. Chassant toutes ces lubies, il plongea les mains dans ses poches et tourna les talons.

Susan Markham avait raison : elle était parfaitement

capable de se débrouiller toute seule, et elle n'avait pas besoin de chevalier-servant. Quant à lui, ce n'était pas son genre de s'imposer, ni de se mettre martel en tête pour une femme, si jolie et séduisante soit-elle...

2.

Il faisait un temps superbe, en ce matin d'octobre. Une brume légère traînait dans les vallées, alors que le soleil, déjà, réchauffait les collines. Lavés de rosée, les chênes et les érables flamboyaient de tous les ors et de la pourpre de l'automne, au bord des trottoirs jonchés de feuilles mortes.

Susan adorait Moscow. Venue trois ans plus tôt d'Indianapolis, elle s'était très vite habituée à la vie de cette petite bourgade, en dépit de ses craintes initiales.

Moscow proposait en effet à ses habitants toutes les activités culturelles que peut offrir une ville universitaire. Et elle était, de plus, merveilleusement située entre Spokane à l'ouest, le lac de Cœur d'Alène au nord, le Canyon de l'Enfer et la Rivière du Serpent au sud. A l'est, s'étendait une haute chaîne de montagnes, région mythique truffée de grottes naturelles, d'anciennes mines d'argent, et de villes fantômes : un vrai paradis pour le spéléologue amateur…

Seul ennui peut-être : la construction de la ville à flanc de coteaux ce qui ralentissait singulièrement sa marche quand il lui fallait remonter vers la maison après ses cours. A quelque chose, dit-on, malheur est bon, et Susan se consolait généralement en songeant que ce petit exercice quotidien l'aidait à conserver la ligne...

Aujourd'hui, pourtant, elle avait l'esprit ailleurs. Elle gardait une impression mitigée de sa rencontre de la veille avec Tim Murphy. Certes, elle se réjouissait d'avoir su conserver la tête froide devant lui, et de n'avoir manifesté aucune émotion particulière en sa présence.

Et pourtant... A cause de lui, elle n'avait quasiment pas fermé l'œil de la nuit, hantée par l'image de ce grand gaillard débonnaire et souriant. Et, comble d'étourderie, elle s'était aperçue ce matin en arrivant dans l'amphithéâtre qu'elle avait oublié ses notes, ses lunettes et son crayon!... Malgré son naturel distrait, c'était bien la première fois qu'elle arrivait à l'Université les mains vides, le travail passant à ses yeux avant tout...

Après avoir assuré trois cours, avalé en vitesse un sandwich à la cafétéria, puis assisté à une réunion d'enseignants, elle gagna enfin le petit réduit du deuxième étage qui lui servait de bureau. Déposant son sac à main sur une pile de copies, elle s'assit et ôta ses talons hauts.

Cet instant de récréation, où elle avait le loisir de souffler un peu, obéissait à un rituel immuable. Comme tous les matins, elle releva ses manches et commença à classer son courrier, puis elle brancha une petite bouilloire. C'était en principe interdit, mais tout le monde en avait une dans son bureau. Ce matin-là, elle trouva bien une tasse, mais pas de cuiller. Enfin, elle accrocha ses bas et ses boucles d'oreilles à un tiroir entrouvert, et elle poussa un long soupir.

Tim Murphy... En ville, il était connu comme le loup blanc. Elle en avait maintes fois entendu parler, avant que son amie Kay n'y fasse allusion. Il possédait un établissement où l'on servait des petits-déjeuners. Ouvert de six heures du matin à midi, l'endroit était essentiellement fréquenté par des habitués, le plus souvent célibataires…

Tout le monde l'aimait : les gosses, les vieilles filles, la police, les femmes délaissées… C'était un homme de parole, attentif et discret, à qui l'on pouvait se confier en toute quiétude, car jamais il ne trahissait un secret. Il était également de notoriété publique que les dames, quel que soit leur âge, avaient droit à un sourire et à une chaleureuse accolade en sus de leur consommation…

Plus précisément, il s'était fait une réputation de Casanova à cent lieues à la ronde. Mais, bizarrement, nul ne semblait lui en tenir rigueur, et il échappait à l'opprobre généralement jetée sur les coureurs de jupons. Les dames, au contraire, ne tarissaient pas d'éloges sur son compte, vantant sa gentillesse, sa délicatesse, son humour, qui faisaient de lui le compagnon idéal…

— Bonjour !

— Bonjour, répondit-elle en écho, sans prendre la peine de lever les yeux.

De qui, en effet, pouvait-il bien s'agir, sinon de Tim Murphy en personne ? Quand on parle du loup…

Il entra en baissant la tête pour ne pas se cogner et s'approcha.

— Avez-vous un petit moment à m'accorder ? demanda-t-il pour la forme, car d'autorité il déposa devant elle un grand carton plat.

Silence.

Piquée par la curiosité, à moins que ce ne soit par timidité et pour éviter de le regarder en face, Susan jeta un coup d'œil à l'intérieur : une dizaine de beignets à la cerise, tout chauds et appétissants à souhait, exhalèrent une délicieuse odeur…

— Quand je pense que Kay vous considère comme un ami loyal ! Ce n'est pas chic de me faire ce coup-là !

Il jeta négligemment sa veste dans un coin, attrapa deux beignets et s'assit, jambes écartées, sur la petite chaise devant le bureau.

— Vous pouvez manger sans crainte. Il n'y a pas d'alcool dedans...

— J'ai toujours trouvé les beignets un peu fades sans accompagnement, dit-elle.

— Fades? Vous voulez rire! répliqua-t-il, avec une grimace narquoise.

Il la dévisagea longuement. Elle se crispa. Heureusement, il détourna les yeux pour examiner la pièce et les livres entassés sur les rayonnages.

Tout en le regardant, Susan mordit dans un beignet, autant pour se donner une contenance que pour essayer de se calmer. Elle avait les paumes moites, les joues en feu, et le cœur qui battait la chamade: symptômes éminemment reconnaissables, indiquant soit une poussée de fièvre, soit plus vraisemblablement, hélas, un attrait prononcé pour un homme...

Les choses auraient été plus simples si Tim avait eu un physique de jeune premier. La plupart du temps, la beauté chez un homme s'accompagne d'une vanité tout à fait ridicule. Mais tel n'était pas le cas. Hormis sa taille, Tim n'avait à première vue rien d'exceptionnel. Il y avait juste en lui quelque chose de troublant et de mal défini, qui tenait peut-être à sa tignasse brune, à ses épaules carrées, ou encore à ses yeux, à la fois tendres et moqueurs. A moins que cela ne vienne de son visage buriné et de sa mine négligée, jean élimé et vieux pull marin, qui lui donnaient cet air de bûcheron...

Ce grand diable avait un sourire enjôleur, juvénile et insolent, avec des yeux innocents qui semblaient dire: « Aimez-moi, aimez-moi, je vous en prie... ». C'était le genre d'homme que l'on a envie d'installer chez soi, de nourrir, de border le soir, et auprès duquel il doit faire bon passer les longues soirées d'hiver. Bref, le candidat rêvé au poste d'amant : flegmatique, passionné, tendre, sensuel, ardent, paresseux, inoubliable...

N'ayant encore jamais rencontré l'oiseau rare, Susan s'efforça de chasser cette idée de son esprit. Ravalant sa fierté, et au mépris de toute logique, elle attaqua sans conviction un autre beignet.

— Vous avez une bibliothèque impressionnante, observa-t-il, élogieux.

— Oui. J'entasse exprès les livres ici, pour me forger une réputation d'intellectuelle.

Il fouilla de nouveau dans le carton.

— Vous ne mangez pas vite. J'en suis déjà au troisième. Il faut vous nourrir, si vous voulez faire fonctionner votre matière grise...

Elle termina en souriant sa pâtisserie.

— Figurez-vous que je surveille ma ligne, mon cher. Enfin, tant pis. Ce sera votre faute si je deviens énorme.

— Désolé. Si j'avais su, je vous aurais apporté des carottes...

— Attention à ce que vous dites, vous !

— Ne vous faites donc pas de bile. Vous êtes encore loin d'être obèse, répondit-il en riant.

— Oh, mais je ne m'inquiète pas. Ce soir, je vais faire cinq heures de gymnastique. Sapristi, vous ingurgitez ces beignets à une allure ! Est-ce une habitude chez vous ?

— Ma mère disait toujours que j'étais né avec un appétit d'ogre.

— Je veux bien le croire.

Poussée par la gourmandise, Susan aurait bien pris elle aussi un dernier beignet, mais sagement elle se ravisa, se contentant de finir sa tasse de thé.

— Je ne pousserai pas la cruauté jusqu'à vous demander si vous avez déjà joué au basket-ball, mais serait-il possible de connaître vos autres prénoms ?

— Je m'appelle officiellement Thomas Nicholas Sperling, le troisième du nom. Mais ne l'ébruitez pas ; sinon, je ne vous apporterai plus de beignets.

— Le troisième du nom...

— Vous cherchez les ennuis, ma petite dame.

Il est rare qu'une telle complicité s'instaure d'emblée entre deux individus. Susan n'en revenait pas. Prenant ses aises, il posa un pied sur le bureau. De son côté, elle lui fit un café, puis elle l'observa complaisamment terminer ses beignets.

Ils parlèrent ensuite de leur passion commune, la spéléologie. De fil en aiguille, la conversation prit un tour plus familier. Ils évoquèrent alors souvenirs d'enfance et anecdotes diverses : comment il s'était cassé le bras à l'âge de six ans, et elle en entrant en sixième ; qu'à l'école il était champion aux billes, mais nul en chimie ; elle, au contraire, était toujours première en classe, mais totalement dénuée de sens pratique et détestait la cuisine et les travaux ménagers ; petite fille, elle capturait les grenouilles ; garçon d'honneur, il avait égaré la bague du jeune marié, etc...

Au bout d'une heure, il se releva et enfila sa veste.

— Serait-il possible de poursuivre cette conversation au restaurant ?

— Ne me dites pas que vous avez faim !

— Ce n'était qu'un apéritif. Je n'en ai pas pour longtemps à préparer le repas. Vous remarquerez que je ne vous demande pas de m'aider...

— Sage décision, murmura-t-elle.

La balle était désormais dans son camp. Il ne fallait surtout pas se précipiter, mais garder la tête froide. Finaude, elle n'avait pas été sans noter un changement dans son attitude : immobile, un sourire crispé aux lèvres, il guettait sa réponse. D'où l'on pouvait conclure que son invitation, à première vue tout à fait honnête et dénuée d'arrière-pensées, n'était peut-être pas aussi désintéressée qu'il y paraissait...

Tim Murphy ne faillissait pas à sa réputation. Elle le trouvait décidément charmant et terriblement attachant. N'étant pas d'un naturel farouche, elle appréciait à sa juste valeur la compagnie des hommes. Mais aucun toutefois, n'avait suscité chez elle un tel engouement, une telle ivresse, une telle exaltation...

Mieux valait par conséquent ne pas tenter le diable. Elle jugea plus prudent de refuser.

— C'est malheureusement impossible. J'ai une cinquantaine de copies à corriger ce soir.

La déception se lut sur son visage.

— Ce n'est pas grave. Nous remettrons ça à une prochaine fois, répondit-il du tac au tac.

— D'accord.

Elle n'était pas tirée d'affaire pour autant. Il fit la grimace :

— Avant de m'en aller, je voudrais un petit baiser de vous, pour me remercier de vous avoir apporté des beignets, déclara-t-il, pince sans rire.

— Vous tenez donc absolument à me faire faire des bêtises !

— Dois-je comprendre que vous refusez ? demanda-t-il, tout déconfit.

— Oui.

— Vous êtes cruelle, Susan.

Il tourna les talons.

S'il savait, au contraire, comme elle brûlait d'envie de se pendre à son cou et de l'embrasser !...

Mais il y avait Kay, qu'il aimait en silence.

Avant de venir s'installer ici, Susan redoutait la médisance et la mentalité étroite des gens des petites villes. Mais elle s'était aperçue bien vite qu'il n'en était rien, en tout cas à Moscow. Personne n'avait jamais rien remarqué de suspect entre Tim et Kay, pour la bonne et simple raison qu'il ne s'était rien passé, mais tout le monde savait qu'il était amoureux d'elle. Bien sûr, ce n'était pas dit de manière explicite, mais on le laissait entendre au détour de la conversation.

Loin d'encourir le blâme, Tim jouissait au contraire de la considération et de l'estime générales. On lui savait gré de son tact et de sa délicatesse, et la ville entière se faisait la complice silencieuse de cet amour platonique.

Elle en avait d'ailleurs eu un petit aperçu la veille au soir : il n'était que de voir la manière dont il la regardait. Sous ses airs de gros ours mal léché, il débordait de tendresse à son égard...

On ne choisissait pas de tomber amoureux, elle était bien placée pour le savoir, et il arrivait donc que l'on puisse aimer sans être payé de retour, quitte alors à devoir taire ses sentiments.

Instruite par sa propre expérience, elle avait tout de suite compris la situation. Susan n'avait pas toujours eu une vie facile. Ballottée durant toute son enfance d'un foyer d'accueil à un autre, sans jamais parvenir à trouver des parents adoptifs, elle avait ensuite vainement cherché celui qui la chérirait et la rendrait heureuse.

Certes, il y avait eu Karn. C'était quelqu'un qui avait essayé de l'aimer, désespérément...

Par malheur, le fantôme de sa première femme se dressait en permanence entre eux et condamnait inéluctablement leur liaison. Trop de gens avaient déjà essayé de l'aimer, sans y arriver, à croire qu'il s'agissait presque d'un pari impossible. La rupture avait été terrible. A l'époque, elle n'était plus que l'ombre d'elle-même. Lentement elle avait remonté la pente, et fini par retrouver confiance en elle. Mais une leçon aussi chèrement payée ne s'oublie pas de sitôt. Elle s'était donc bien juré de ne pas répéter la même bévue.

Tim était un homme charmant et plein d'humour, dont elle voulait bien faire un ami, mais pas un amant. Il restait épris de Kay, et elle avait déjà vécu dans l'ombre d'un fantôme, avec le résultat que l'on sait…

Une dizaine de jours plus tard eut lieu un événement très remarqué : l'équipe universitaire de football américain de Moscow recevait sur son terrain son homologue d'Indianapolis, dans un match comptant pour la qualification au championnat national. Prévue pour deux heures de l'après-midi, la rencontre débuta sous une pluie fine et glaciale. Tenant en main un sachet de pop corn, Tim était déjà trempé avant même d'avoir trouvé une place.

Il en aurait fallu bien plus pour dissuader les supporters qui se pressaient en nombre dans les tribunes en chahutant joyeusement. Soucieux de ne pas gêner des voisins de derrière éventuels, Tim choisit comme d'habitude de s'installer tout en haut sur les gradins. Tranquillement, il gravit les marches. Une clameur salua le coup d'envoi. Il se retourna, et il l'aperçut, elle, Susan…

Elle s'était placée à hauteur de la ligne des trente mètres de l'équipe adverse, alors que lui se trouvait juste en face de celle de Moscow. Autant dire qu'une bonne soixantaine de mètres les séparaient, et qu'il lui faudrait jouer des coudes si d'aventure il se hasardait à la rejoindre. En outre, rien ne prouvait qu'elle soit ravie de le revoir…

Elle était seule, assise entre une famille et un groupe de jeunes gens. Malgré la distance, il pouvait deviner son visage congestionné et ruisselant, à moitié dissimulé derrière une grosse écharpe rouge, qui faisait tache dans la foule. L'inconsciente ne portait pas de chapeau, et ses cheveux blonds dégoulinaient sous l'averse.

Prise par le jeu, elle se releva d'un coup, mains sur les

hanches. Tim hésitait: ne l'avait-elle pas poliment éconduit, l'autre jour, quand il avait proposé son amitié ? Sans doute, avertie par un précédent échec sentimental, se tenait-elle désormais sur ses gardes... C'était son droit le plus strict, et il n'avait pas l'habitude d'insister en pareille occasion.

Il ne s'en dirigea pas moins vers elle, chagriné de la voir par ce froid, tête nue sous la pluie. Il aurait été dommage qu'elle attrape la grippe. Quitte à passer encore la semaine à penser à elle, il voulait au moins la savoir en bonne santé...

Absorbée par le match, Susan sursauta quand on lui posa un grand chapeau sur la tête et qu'on lui mit sur les genoux un sachet de pop corn. Elle se retourna, et se retrouva alors coincée entre deux jambes immenses.

Tim ! Elle eut un coup au cœur et ne vit soudain plus que lui. Les joues rougies par le froid et les cheveux plaqués sur le front, il la salua de son plus beau sourire.

— A part vous, je ne vois ici personne qui soit prêt à supporter mes grandes jambes...

— Vous êtes-vous au moins renseigné ?

— J'ai déjà demandé à des tas de gens. Vous n'allez pas me chasser, au moins ?

Il eût certes mieux valu. Elle s'était efforcée d'oublier ce sourire narquois et de minimiser l'attrait ressenti pour le personnage, et voilà qu'au moment où elle s'y attendait le moins, alors qu'elle avait pris son parti de ne plus le revoir, il surgissait derrière elle !...

Elle baissa les yeux sur le sachet de pop corn.

— Je crains que la pluie n'ait gâté vos petites friandises. Ça m'aurait étonnée que vous puissiez tenir deux heures sans grignoter quelque chose...

— Vous a-t-on jamais, dit, Miss Markham, que vous étiez une petite impertinente ?

Un grondement salua un plaquage réussi qui redonnait avantage à l'adversaire.

— Il n'y a pas cinq minutes que le match a commencé, et c'est déjà Indianapolis qui mène, observa Susan avec dépit.

— Oui, cette année, exceptionnellement, nous avons une équipe déplorable ; elle n'a pas remporté une seule victoire. Que voulez-vous...

— J'espérais au moins que cette grosse brute de numéro 7 se rattraperait sur le terrain. On ne peut pas dire qu'il fasse beaucoup d'efforts dans mes cours...

— Vous n'oseriez quand même pas faire redoubler le pilier de l'équipe ?

— Non, mais à condition qu'il y mette du sien et se décide à travailler. Quand je pense qu'il m'a raconté qu'il voulait devenir joueur professionnel ! L'avez-vous vu jouer ?

Son regard s'attarda un instant sur elle, il avança la main pour chasser une mèche sur sa joue... Geste en apparence anodin, mais qui suffit à la perturber. Prudemment, elle se retourna dans la direction opposée et demeura ainsi pendant une demi-heure. Sur le terrain battu par l'averse, les actions se succédaient. Calée contre Tim, et lui servant d'accoudoir, Susan en vérité ne suivait plus le match que d'un œil distrait, tant son émotion était grande.

Elle tenta de se raisonner : Tim Murphy était d'un naturel expansif, et elle n'avait pas l'exclusive de ses démonstrations d'affection, auxquelles il ne fallait donc pas accorder une importance exagérée. Pourquoi, alors, ce bourdonnement dans ses oreilles, cette bouffée de chaleur, et ce frisson de volupté qui lui faisait battre le cœur ? Souffrirait-elle par hasard d'une attaque d'hypoglycémie, à moins que ce ne soit, plus vraisemblablement, d'un célibat trop prolongé...

La foule se leva soudain d'un bloc, en un ensemble parfait. Susan suivit le mouvement. Un essai, marqué par l'équipe de Moscow, déclencha une véritable frénésie dans les gradins. Radieuse, elle se tourna vers Tim.

Emporté par son exubérance, il la saisit à bras le corps et la souleva en riant. Puis il l'embrassa, semblable en cela aux milliers de supporters qui se congratulaient autour d'eux.

Là s'arrêtaient les similitudes. Les bruits et les couleurs s'estompèrent. Le monde sembla soudain se réduire à Tim, et à ses lèvres pressantes, avides. Plaquée contre lui, Susan lutta désespérément contre le désir qui jaillissait en elle. Il sentait la laine, le cuir, et un léger parfum d'homme…

Le premier baiser la prit par surprise. Eblouie, elle fit mine ensuite de le repousser, mais aussitôt il captura sa bouche, comme l'on s'empare d'un trésor longtemps convoité, et de nouveau le temps s'abolit.

Ils s'embrassèrent avec une affolante avidité, tels deux amoureux impatients, et totalement indifférents aux curieux qui les observaient du coin de l'œil.

Pour Susan, ce fut une révélation. Elle n'avait pas souvenir d'avoir jamais montré tant d'enthousiasme dans les bras d'un cavalier aussi ardent et empressé. Dans son exaltation, elle se prit à rêver au bonheur, comme si, enfin, elle venait de découvrir l'homme de sa vie, celui-là même qui saurait la chérir et la combler d'amour…

Il rompit doucement le baiser, comme l'on sort d'un rêve. Un silence gêné s'installa entre eux. Ils se regardèrent.

Tim semblait complètement désorienté, presque honteux. Regrettait-il déjà ? Susan maudit sa propre légèreté qui l'avait conduite à ces égarements…

Livide, le visage fermé, il ramassa le chapeau tombé à terre et le lui cala sur la tête. Timidement, il effleura sa joue :

— Ça va? demanda-t-il.

— Oui.

Dominant son émotion, Susan s'efforça de faire bonne figure, mais elle découvrait maintenant l'évidence, et son cœur se serrait. Le trouble de Tim était éloquent ; elle reconnaissait dans son regard la tristesse et la mélancolie qui habitaient jadis celui de Karn. Lui aussi, il pensait à une autre en l'embrassant...

Qu'était-elle allée imaginer, dans ce moment d'ivresse! Comment pouvait-elle manifester une telle candeur et une telle naïveté, après ce qui s'était passé quelques années plus tôt? N'aurait-elle pas tiré la leçon de son échec avec Karn?

— Susan?

Elle fit un petit sourire, soucieuse de donner le change et de masquer sa déception. Mais point n'était besoin d'être grand clerc pour deviner son émoi. Tim lui captura le menton et planta son regard dans le sien:

— Je ne vous connais pas, dit-il tout bas, mais je suis déjà tout ébloui...

3.

— C'est amusant, n'est-ce pas ?
— Amusant ?!...
Bigre... Tim avait embrassé bien des femmes dans sa vie, mais jamais pensait-il avec autant de passion et de fougue. Il en était tout pantelant. Susan, la cruelle, lui tourna ostensiblement le dos pour suivre le match.
— Oh non, ils ont encore marqué un avantage ! Avez-vous vu ?
— Non !
— Nous bouchons la vue. Allons nous asseoir.
Livide, le visage crispé, elle fuyait son regard, visiblement aussi émue que lui.
— Vous avez raison.
Sans autre explication, il l'entraîna résolument au milieu de la foule. Elle protesta :
— Que faites-vous ? C'est insensé !...
Il ne lâcha sa main qu'après avoir trouvé deux places libres en haut des gradins.
— Pourrais-je savoir ce que vous avez en tête, Monsieur Murphy ? minauda-t-elle.

— Inutile de jouer la comédie, Susan. Je sais bien que vous êtes aussi déboussolée que moi.

Elle n'avait pas froid aux yeux, la petite Susan Markham ! Car enfin, il avait fondu sur elle tel un oiseau sur sa proie. Croyez-vous qu'elle s'en serait formalisée ? Point du tout. La mignonne faisait mine au contraire d'être ravie de son initiative, comme s'il s'agissait de la chose la plus naturelle du monde. Mais c'était pour mieux minimiser l'incident, et le réduire à des proportions anodines...

Elle lui tapota le genou :

— Allons, Tim, ne vous frappez pas pour ce qui vient de se passer. C'était juste un baiser. Cela fait du bien de temps en temps. Nous savons l'un et l'autre qu'il n'y a rien derrière... dit-elle sur un ton léger, le sourire aux lèvres.

Trempée comme une soupe, elle avait l'air aussi très agitée, et elle ouvrait la bouche chaque fois qu'il esquissait un geste dans sa direction.

— Allons, reprit-elle, il n'y a vraiment pas de quoi se formaliser. D'autant que ce n'est pas la première fois que cela vous arrive, je présume...

— De quoi parlez-vous ?

— Ne faites pas l'innocent. A ce qu'il paraît, vous n'êtes pas avare d'affection avec les dames qui viennent le matin prendre un café chez vous... Cela dit, je n'y vois aucun mal, et je trouve même que vous avez beaucoup de chance, ajouta-t-elle, perfide.

Tim se rembrunit. Elle exagérait. Il n'y avait rien d'ambigu dans son attitude avec les clientes. Sa familiarité venait de ce qu'il les aimait bien et qu'il était d'un naturel chaleureux. Rien de plus. Et si sa clientèle était effectivement à majorité féminine, elle n'en appartenait pas moins à toutes les tranches d'âge ; que ce soit Mrs Mac Carthy, une vénérable grand-mère de quatre-vingt-huit ans, ou la petite Julie Kenberg, seize ans à peine, qui venait de perdre son frère...

Le voyant ébranlé, Susan enfonça le clou :

— Et puis, il y a Kay...

Il se retourna brusquement, faisant face au vent glacé.

— Kay ? Qu'est-ce qu'elle vient faire ici ?

— Excusez mon indiscrétion...

— Je ne comprends toujours pas, gronda-t-il.

Emue par sa réaction, elle lui prit la main et sourit tendrement.

— Je ne voulais pas vous mettre mal à l'aise...

— Parlez sans crainte.

— C'est vrai ; l'amitié doit d'abord reposer sur la franchise.

Elle retira alors sa main et enfila ses gants de laine. S'il lui restait le moindre doute sur les sentiments à l'égard de Kay, il venait de se dissiper sous ses yeux. Il avait les nerfs à fleur de peau dès que l'on prononçait son nom...

— Vous l'aimez depuis longtemps...

— Auriez-vous oublié qu'elle est mariée et qu'elle a deux filles ? J'étais invité au mariage, je suis le parrain des jumelles, et tous les mercredis je joue au poker avec Mitch...

— On n'est pas toujours maître de ses sentiments, Tim, et il n'est pas possible de cesser d'aimer sur commande. Si vous ressentez le besoin de vous confier, n'hésitez pas...

Elle marqua une pause, avant de poursuivre :

— Pour en revenir à notre sujet, sachez bien que vous n'avez aucune raison de vous sentir gêné. Qu'importe ce qui s'est passé tout à l'heure. Cela n'a aucune importance.

Elle se tourna face au terrain.

— Hé, regardez, nous venons de leur prendre la balle !

Ils échangèrent un sourire. Tim n'en montra rien, mais il souffrait de constater que Susan avait percé le secret de son cœur. Qui d'autre, encore, était dans la confidence ? Il éprouva soudain l'impression fâcheuse de s'être couvert de ridicule depuis des années.

En tout cas, elle cachait bien son jeu. Derrière une apparente désinvolture teintée de cynisme, elle se révélait passionnée, sensuelle, impétueuse...

Mais évidemment, jamais elle ne voudrait l'admettre. Elle était bien trop fière.

Elle restait stoïquement debout sous la pluie, emmitouflée dans son écharpe.

C'était parce qu'elle se faisait une idée fausse de lui, songea-t-il, qu'elle se tenait sur la défensive. Il ne cherchait pas, comme elle le croyait, une simple aventure, et son amour pour Kay n'était plus le même aujourd'hui. Mais comment le lui expliquer, sans risquer de l'effrayer ? Il regrettait maintenant sa précipitation, qui s'était pourtant soldée par un merveilleux baiser ; car embrasser Susan était vraiment une expérience unique, même pour un spécialiste comme lui...

— Tim ? Vous rêvez ?

— Non...

Il demeurait fasciné par son allant, et par l'aplomb merveilleux avec lequel elle se jouait de lui et réussissait à le désarçonner...

Quelle tricheuse ! Car tout cela n'était que de la comédie, il en avait désormais la preuve.

Elle agita la main devant ses yeux.

— Holà ! Réveillez-vous, nous allons peut-être marquer un essai.

Comme tout supporter qui se respecte, elle s'emportait fréquemment et couvrait d'invectives les joueurs de l'équipe adverse, avec une verdeur de langage propre à faire rougir un corps de garde... Elle lui offrit un hot dog. Il lui parla de son travail et de problèmes juridiques. Au bout du compte, ils passaient là une excellente après-midi.

Elle s'esquiva dès la fin du match, invoquant du travail en souffrance. Il comprit alors qu'à sa manière, un peu fantasque, elle avait essayé de le distraire et de le sortir de sa mélancolie. Et, de fait, le sourire d'une femme n'est-il pas, généralement, le plus tendre des réconforts ?

Oui, à moins qu'il ne cesse, tout à coup, de vous hanter.

Susan ôta en grimaçant son pull rouge devant la glace. Par une étrange lubie, elle ne portait pratiquement que cette couleur, même si elle savait très bien que cela jurait avec son teint de blonde et conférait à son visage une inquiétante pâleur…

Elle jeta un coup d'œil à sa montre. Six heures, déjà, et elle devait être à sept heures chez Mitch et Kay pour garder les enfants.

Restait encore à mettre la main sur ses clés, ses chaussures, son sac et sa veste…

La veste pendait à une chaise en osier dans la cuisine et son sac se trouvait bien en évidence sur la table. Elle eut plus de difficultés à retrouver les escarpins dissimulés derrière les rideaux de la chambre.

Mais de clés, point.

Susan occupait un joli deux pièces au premier étage d'une belle maison victorienne, juste au-dessus des propriétaires, Nancy et David, vite devenus des amis et qu'elle amusait par ses goûts passablement excentriques en matière de décoration intérieure et son tempérament bohême…

Si, en effet, elle s'habillait presque exclusivement en rouge, Susan vivait dans un univers dominé par le rose : les murs, le plafond, les meubles, les rideaux, tout, absolument tout, chez elle, était rose-bonbon... hormis bien sûr les plantes vertes, les figurines en cristal et les tableaux ou dessins sur les murs. C'est néanmoins dans ce cadre insolite, où régnait par ailleurs un désordre indescriptible, qu'elle aimait à se retrouver le soir après ses journées de travail.

Le temps pressait. Dans l'impossibilité de retrouver ses clés, autant chercher une aiguille dans une botte de foin, elle se rabattit sur son trousseau de secours. La neige, tombée dans la journée, invitait à la prudence, mais heureusement sa petite Volkswagen tenait bien la route et elle avait l'habitude de conduire par tous les temps.

Tim avait bien proposé de venir la chercher, mais elle avait refusé, trouvant que cela avait un petit côté "sortie en amoureux"...

C'est que depuis une dizaine de jours, il multipliait les prétextes pour venir la voir : une fois, il lui apportait des beignets, une autre, des éclairs au chocolat, ou encore, le dimanche, l'édition spéciale du journal, et même, comme l'avant-veille, une clef à molette pour réparer un robinet défectueux.

Elle n'accueillait pas sans défiance ces visites répétées, bien que trouvant sa générosité touchante. Mais comme il se montrait par ailleurs toujours très correct et plein de retenue, elle s'était laissé gagner peu à peu par son tact et sa gentillesse. A tel point même qu'elle en était arrivée — fait rarissime car elle détestait que l'on s'apitoie sur son sort — à lui parler de son enfance d'orpheline.

Pour la même raison, elle avait accepté de se joindre à lui ce soir chez Mitch et Kay, deux adultes, à l'entendre, n'étant pas de trop pour empêcher les petits monstres de mettre la maison à sac en l'absence de leurs parents.

— Ils auraient quand même pu trouver quelqu'un d'autre pour vous prêter main-forte, soupira-t-elle.

— Oui, mais vous connaissez Mitch ? Il n'est jamais satisfait d'aucune baby-sitter. Allons, Suze, un bon mouvement. Vous ne pouvez pas me laisser tomber ; jamais je ne m'en sortirai, tout seul avec ces deux chipies. N'avez-vous pas promis de m'aider ? C'est le moment...

Suze... Elle détestait ce prénom ridicule dont l'affublaient ses intimes. Dans sa bouche, toutefois, il prenait une résonance particulière ; il l'avait prononcé si tendrement...

Quel dommage qu'il en aimât une autre !

Kay, sa meilleure amie, chez qui précisément ils avaient rendez-vous. Gageons qu'il n'aurait pas ce soir le cœur à rire, et qu'elle aurait fort à faire pour le dérider.

Gens aisés, Mitch et Kay habitaient dans une grande maison aux lignes futuristes, construite au milieu des arbres, devant laquelle ce soir montaient la garde les deux bonshommes de neige édifiés par les gamines dans le jardin.

Ce fut Mitch qui l'accueillit.

— Bonsoir, Suze. Donne-moi ta veste. Kay finit de s'habiller et Tim nous attend à la cuisine. Vous nous rendez un fier service, tous les deux.

— Bah, ça me donnera l'occasion de voir un peu les jumelles, répondit-elle, modeste.

Massif et grisonnant, Mitch donnait au prime abord l'impression d'un personnage sombre et austère. Mais sitôt la glace rompue, on découvrait un homme débordant de tendresse, qui adorait sa femme et ses enfants. Quant à Susan, il la traitait un peu comme sa petite sœur.

Susan, qui ne pouvait, quant à elle, se défendre d'une certaine appréhension en traversant la salle de séjour pour aller à la rencontre de Tim...

— Sans vouloir te flatter, dit-elle à Mitch, tu es superbe, ce soir. Où allez-vous dîner ?

— Dans un restaurant de poisson. Kay a envie de manger du homard.

Il sourit.

— Il y a si longtemps que nous ne sommes pas sortis en amoureux...

— Ah...

— Crois-moi, avec les gosses, elle a besoin de se changer les idées de temps à autre. En attendant...

En attendant, ils arrivèrent à la cuisine, une vaste pièce soigneusement briquée et envahie de plantes vertes.

Deux fillettes en pyjama se tenaient la main. Vraies jumelles, et donc à première vue indistingables, c'étaient deux petites brunettes, avec une frimousse adorable terminée par un nez en trompette, et de grands yeux sages de petites filles modèles...

— Bonjour, Susie, fit la première.

— Bonjour, Susie, dit sa sœur en écho.

Susan les embrassa puis jeta un coup d'œil à son assistant baby-sitter.

Par mesure de précaution, étant donné le tempérament chahuteur des gamines, Tim s'était habillé lui aussi très simplement : pantalon beige et vieille chemise au col grand ouvert. A côté de la mise soignée et distinguée de Mitch, il avait l'air d'un gros ours pataud... mais aussi plein de charme. Dieu sait comme elle était émue de le revoir !

Ceci dit, il ne paraissait pas au mieux de sa forme : les yeux cernés, le visage tiré, un sourire crispé aux lèvres, on devinait facilement son amertume. Susan se promit d'y remédier sans retard.

— Alors, c'est compris, vous allez être bien sages ? demanda Mitch aux gamines.

— Oui, papa.

— Kay a loué "Les 101 Dalmatiens", expliqua-t-il aux

adultes, ça devrait les occuper un moment. Ensuite, dit-il en se retournant vers les enfants, il ne reste plus qu'à leur donner un verre de lait et à les mettre au lit. N'est-ce pas, mes chéries?

— Oui, papa.

— Hum...

Mitch désigna une bouteille de bourgogne californien posée sur la table.

— Voilà pour vous deux, une fois qu'elles seront couchées.

— Oh! Mitch, il ne fallait pas!

— Mais si, voyons. C'est bien normal. J'aurais d'ailleurs peut-être mieux fait de vous laisser du whisky, vous risquez d'en avoir besoin... ajouta-t-il en se caressant le menton.

Il s'adressa aux fillettes:

— Même si elles vont être très gentilles avec Tim et Susan, hein?

— Oui, papa.

Entra Kay, dans un tourbillon parfumé de soie orange. Survoltée, elle noyait son auditoire sous un flot de paroles, multipliant les instructions à Tim et Susan, osant une plaisanterie sur le risque de les laisser tout seuls à la maison, embrassant ses filles et leur faisant jurer de se montrer obéissantes, et pour finir, s'inquiétant du bien-fondé de cette petite escapade nocturne.

— Crois-tu vraiment que ce soit bien raisonnable? demanda-t-elle à son époux, qui sourit.

— Mais oui, voyons. Cesse donc de t'inquiéter. Tim et Susan sont là.

— Je ne sais plus si je leur ai laissé le numéro de téléphone du médecin.

— Tu l'as marqué toi-même sur le bloc-notes dans le salon.

Elle regarda Tim.

— N'oublie pas qu'il reste du poulet au réfrigérateur, et que... Allons, Mitch, cesse de me bousculer. Je n'ai même pas eu le temps de dire un mot à Susan...

Mitch la poussa vers la porte et la referma derrière eux en lançant un clin d'œil à nos deux larrons.

Insensiblement, Susan s'était rapprochée de Tim, comme pour faire écran entre Kay et lui et atténuer la peine qu'involontairement elle lui causait.

Kay, il est vrai, avait tout pour plaire. Jolie, gaie, spirituelle et le cœur sur la main, elle dégageait un charme auquel il était facile de succomber. Il était tout naturel que Tim en tombât amoureux. Et il devait être si triste de la sentir heureuse entre les bras d'un autre...

— Susan ?

Il lui prit la main. Elle tressaillit. Il la lâcha alors pour sortir une pièce de cinq cents de sa poche.

— Que choisissez-vous : pile, ou face ?

— Pile. Mais si vous me disiez d'abord à quoi vous jouez ? demanda-t-elle, restant sur le qui-vive.

— A deviner l'heure du retour de nos amis. A votre avis, combien de temps vont-ils rester absents ?

Il plaça la pièce sur le dos de sa main.

— Je parie qu'ils seront de retour avant neuf heures. Kay se fait bien trop de souci...

— Moi, au contraire, je ne les vois pas rentrer avant deux heures du matin. Mitch avait la fibre sentimentale ce soir...

— Kay était ravissante.

— Comme toujours.

Par comparaison, Susan se sentit bien terne, avec son vieux jean et son méchant pull rouge. Elle se tut, boudeuse. Le silence qui régnait dans la maison finit par l'intriguer.

— Hé ! s'exclama-t-elle.

— ?...

— Où sont passés nos petits anges?

Ils se regardèrent, brusquement inquiets. Susan se précipita au salon.

Poussant des cris perçants, les deux chipies, armées chacune d'un pistolet en plastique, grimpèrent sur le canapé pour bombarder la nouvelle venue de boulettes de papier. Une lampe vacilla, un vase se renversa.

— Ne me dites pas que vous vous êtes laissé prendre par leur petit manège tout à l'heure? lui cria à l'oreille Tim, arrivé à la rescousse.

— Non, mais je ne m'attendais tout de même pas à ça.

Déchaînées, les gamines se livrèrent à une sarabande effrénée. En l'espace de quelques minutes, la maison, si propre et bien rangée, prit l'aspect d'un véritable capharnaüm. Elles n'en faisaient qu'à leur tête. Inutile d'essayer de les asseoir devant la télévision, ou avec un jouet. Non, elles voulaient absolument aller jouer dehors dans la neige. On joua donc dans la neige. Tim, sans réfléchir, proposa ensuite de préparer du chocolat. Que n'avait-il dit là ! Kim cassa trois œufs, Kathy renversa le lait et la confiture et la cuisine fut bientôt transformée en champ de bataille. Vint ensuite le tour de la salle de bains lorsqu'elles montèrent se brosser les dents. Et voilà qu'au moment d'aller se coucher, elles demeuraient introuvables...

— Elles ne doivent pas être loin, gronda Susan, la maison n'est pas si grande. A votre avis, où sont-elles passées?

— Si je savais... En général, les gosses détestent aller se coucher de bonne heure.

— Vous ne parlez pas sérieusement? Il est neuf heures et demie ; elles devraient déjà être au lit depuis longtemps. N'oubliez pas qu'il nous reste ensuite toute la maison à nettoyer.

— Suze?

Elle sortit la tête du placard, où elle avait vainement espéré trouver les deux friponnes.

— Vous vous amusez comme une folle, ne dites pas le contraire.

— Croyez-vous?

— J'en suis certain.

Elle écarquilla les yeux.

— Vite! Je viens de voir un projectile traverser la pièce.

Cette fois, ils réussirent à les attraper. Ils se dépêchèrent alors de les mettre au lit, là-haut, dans leur grande chambre encombrée d'animaux en peluche, de dînettes et de maisons de poupées...

— Je n'ai pas sommeil, pleurnicha Kathy.

— Moi non plus, dit Kim.

— Avant d'éteindre, je vais vous raconter une histoire, déclara Susan, conciliante.

— Je vous conseille quelque chose de bien sanglant. Elles ont l'air d'adorer ça.

— Voyons, elles n'ont que quatre ans!

— Tenez-vous oui ou non à ce qu'elles s'endorment?

Les fillettes s'endormirent au milieu de l'histoire du Petit Poucet. Après quoi il ne fallut pas moins d'une heure à Tim et à Susan pour remettre la maison en ordre.

Exténués, ils allèrent s'affaler au salon, chacun à un bout du canapé.

Il l'examina d'un œil amusé. Pieds nus, ses chaussettes étaient trempées à la suite de leur petite expédition dans le jardin, elle était toute débraillée et coiffée à la diable.

— Epargnez-moi vos commentaires. Vous n'êtes guère plus présentable que moi, grinça-t-elle.

— Ce n'est pas ce que je voulais dire.

— Quoi donc, alors?

— Simplement ceci : savez-vous où se trouve la bouteille de vin ?

Susan, qui ne buvait jamais, se sentit la tête lourde dès le second verre. Tim se leva pour allumer la télévision, puis il l'invita à s'asseoir par terre avec lui sur des coussins. Elle glissa de son siège.

— Vous aimez les enfants, dit-il au bout d'un moment.

— C'est vrai. Bien que ces deux petites chipies aient le don de me hérisser...

— Elles aussi, vous les aimez.

— Hélas...

— En réalité, vous êtes prête à tout leur céder pour avoir la paix.

— Ce n'est pas gentil, ce que vous dites là.

Elle porta son verre à ses lèvres.

— Comment Kay fait-elle pour les élever ?

— Elle doit prendre des fortifiants...

— Vous savez, remarqua Susan, les jumelles vous adorent. A ce propos, ne vous arrive-t-il jamais, à vous aussi, de perdre patience ?

— Avec un enfant ? Certainement pas.

Elle se retourna, appuyée sur le coude.

— Auriez-vous par hasard grandi dans une atmosphère familiale chaleureuse ?

— Non, répondit-il, laconique.

— Vous n'êtes guère bavard, dès qu'il s'agit de vous...

— Ah bon ?

— Oui, on vous prendrait facilement pour un brillant causeur mais, sous des dehors loquaces, il semble que vous ayez surtout l'art d'attirer les confidences. Vous trompez bien votre monde, mon cher...

Tim aurait aisément pu lui retourner le compliment.

La duplicité semblait en effet équitablement partagée. Sous couvert de lui apporter une amitié désintéressée et de l'aider à passer un cap difficile, elle poursuivait peut-être confusément d'autres objectifs. Jeune femme énergique et fière de son indépendance, elle n'en était que plus assoiffée d'amour...

Et mignonne à croquer. Svelte et élancée, elle avait une taille de guêpe qui n'interdisait pas quelques rondeurs aux endroits stratégiques — si propres à enflammer l'imagination d'un homme — et sa bouche délicate et sensuelle appelait le baiser...

La pauvrette était si seule ! Elle avait peu d'amis, et elle s'accrochait à son travail comme à une planche de salut. Il faut dire qu'elle n'avait pas eu une enfance heureuse : orpheline à quatre ans, elle avait erré jusqu'à sa majorité d'institutions en familles d'accueil. Le récit de ses malheurs l'avait bouleversé, l'autre jour, et dans un élan de cœur, il avait éprouvé l'irrépressible besoin de lui apporter, enfin, toute la tendresse et l'affection qu'elle méritait...

— Que regardez-vous ? demanda-t-elle, alarmée par son silence.

— La petite cicatrice sur votre gorge.

Elle porta la main à son cou.

— Je me suis coupée avec un verre cassé quand j'étais bébé. Mais ne détournez pas la conversation, je vous prie. Vous deviez me parler un peu de vous. Que se passe-t-il ? Auriez-vous perdu votre langue ?...

Comme toujours lorsqu'elle était nerveuse, elle le noyait sous un flot de paroles. Il ne s'émut pas pour autant, mais enfouit les doigts dans l'or de sa chevelure.

— Tout le monde a besoin de se confier de temps à autre. C'est normal, ajouta-t-elle.

— Je ne vois toujours pas où vous voulez en venir.

— A Kay, bien sûr.

Le grand mot était lâché! Il suffisait qu'elle se sente acculée pour qu'en dernier ressort elle prononce le nom de Kay, comme s'il s'agissait d'une formule magique.

D'ordinaire, ça marchait. Mais ce soir la ficelle était un peu grosse, et son manège éventé.

— Ça ne prend plus, Susan, déclara-t-il calmement.

— Je vous demande pardon?

4.

Oui, son petit stratagème avait fait long feu et il produisit même l'inverse de l'effet escompté. Nullement ébranlé, Tim se rapprocha, cherchant ses lèvres.

Elle s'alarma :

— Nous sommes ici chez Kay, observa-t-elle, en affectant un ton badin.

— Je le sais, Suze.

— Les enfants pourraient se réveiller…

— Oui.

— Mitch et Kay peuvent rentrer d'un moment à l'autre. D'ailleurs, il me semble avoir entendu une voiture…

— Ce n'est pas la leur. Pourquoi êtes-vous donc si tendue ?

— Vous savez bien que je ne suis jamais nerveuse !

Mais son sourire se figea, comme il glissait une main sur ses reins.

— N'avez-vous pas envie d'aller vous aérer un peu ? demanda-t-elle, le cœur battant.

— Non.

— Dommage. Je crois que cela nous ferait du bien.

Il ne l'écoutait plus. Elle reposait, la tête sur un coussin. Il décroisa doucement ses bras et il la dévisagea longuement en silence.

— Bon, reprit-elle en se raclant la gorge, je vois que vous êtes d'humeur galante. Embrassez-moi donc, si vous y tenez tant... bien qu'au fond ce ne soit pas moi qui vous intéresse et que vous espériez autre chose...

Tim, depuis trois semaines, avait trop analysé ses réactions pour ne pas deviner ce que cette apparente désinvolture cachait d'émotion. Il la prit donc au mot. Puisqu'elle semblait répugner à un simple baiser, il l'embrassa avec passion, une fois, deux fois, trois fois...

Il s'interrompit, afin de l'admirer et de s'enivrer de son parfum, subtil et discret... puis ses lèvres de nouveau se posèrent sur les siennes, et leurs bouches se confondirent.

Elle laissa échapper un petit son guttural, mais il n'y prêta aucune attention, impatient de rétablir la vérité et de dissiper cet affreux malentendu qui se dressait entre eux. Le salon de Kay, justement, n'était-il pas l'endroit tout désigné pour lui en donner la preuve?

Elle avait une bouche parfaite, absolument unique... Comment le lui dire, et comment lui faire comprendre qu'il ne songeait à personne d'autre, fût-ce à Kay, en l'embrassant?

Il s'était malheureusement retrouvé muet l'autre jour, lors du match. Dès qu'il lui fallait exprimer, autrement que par des actes, ses sentiments à une femme, il était paralysé...

L'éloquence d'un baiser suppléerait avantageusement à son mutisme.

Au diable Kay! Malgré toute l'affection qu'il éprouvait pour elle, sa vieille complice, il était las d'entendre Susan l'évoquer au moindre prétexte, persuadée qu'il en était encore amoureux. Qu'il l'aime ou non, là n'était pas la question. Pour l'heure, seule comptait à ses yeux cette jolie femme au teint de pêche et au regard fragile capable d'une ardeur insoupçonnée...

— Ecoutez..., dit-elle tout bas.

— Chuuut...

Il mesurait avec plaisir l'effet de ses caresses. Elle tressaillit quand il lui baisa la nuque, s'arqua, gémissante, lorsqu'il lui massa doucement les seins...

Elle sentait la pomme et le vin... Lovée contre lui, elle chercha et trouva ses lèvres. Leurs bouches se happèrent et improvisèrent un duo effréné.

La belle sorcière venait d'allumer un feu qu'elle seule désormais pourrait éteindre. On ne joue pas impunément avec la sensibilité d'un homme. Si près du but à présent, il ne saurait reculer. Au jeu de l'amour, on se brûle les doigts... ou le cœur!

L'ivresse était totale, et l'urgence absolue d'apaiser l'insupportable et délicieux tourment qui affolait ses sens. Ses caresses s'enhardirent, son étreinte se fit plus pressante... La belle était à prendre, la belle se donnait. Il la sentit vibrer dans ses bras, tentatrice ingénue, avide et malhabile...

C'est alors que rentrèrent, sur la pointe des pieds, Kay et Mitch. La lumière s'alluma dans le couloir; deux ombres passèrent devant la porte...

— Bonsoir, claironna Tim, sans quitter Susan des yeux.

— Tim...

— Chuuut...

— Qu'est-ce que?...

— Chuuut...

Non, elle ne rêvait pas. Le monde n'avait pas changé. Elle était toujours chez Kay, assise sur le canapé avec Tim. Il ne s'était rien passé; il ne se passerait rien... Sinon qu'il l'embrassait de nouveau. D'un baiser à l'autre, elle pouvait mesurer la tendresse et la soif d'amour qui l'habitaient, et réciproquement la solitude qui était la sienne...

Elle savoura avec lui les délices d'une nouvelle étreinte, plus ardente et exaltée peut-être que les précédentes, mais une ultime pudeur la retint de succomber entièrement au ravissement de l'amour. Elle se détourna.

— Suze?

Elle se leva d'un bond, incapable de soutenir l'éclat de son regard où se lisait un désir sauvage.

Elle cacha le tremblement qui l'agitait en croisant les bras.

— Bigre... Vous êtes décidément un homme dangereux, Tim Murphy. Mon Dieu, avez-vous vu l'heure? Je m'occupe des verres...

La peur, comme toujours, la rendait loquace. Sans cesser de parler, elle réajusta son pull-over, alluma trois lampes, éteignit la télévision et remit un peu d'ordre dans la pièce.

— Où Mitch a-t-il rangé nos affaires? Vous savez, Tim, ce qui vient de se passer n'a aucune importance. Je ne vous en veux pas...

Il s'approcha:

— Allons, détendez-vous. Ce n'est pas si grave...

— Je suis très calme.

Il prit très doucement son visage entre ses mains et lui déposa un baiser sur les lèvres.

— Je vais chercher les vestes, et ensuite je vous ramène chez vous, dit-il à mi-voix, en la regardant tendrement.

Comme incapable de se détacher d'elle, il lui vola un nouveau baiser, très suave, rapide, et prélude, semble-t-il, à d'autres effusions moins discrètes... Susan s'alarma.

— Il est inutile de me raccompagner, Tim. Je suis venue en voiture...

Il sortit dans le vestibule et revint avec les manteaux :

— Cela ne change rien. Je rentre quand même avec vous. Mais c'est moi qui conduis et je ne vous quitterai pas avant de vous avoir embrassée.

Sur la route, Susan évoqua, comme pour mieux l'éloigner d'elle, ce qui fondait leur amitié et les tenait en même temps séparés.

— Sans vouloir présumer de vos sentiments, et tout en reconnaissant les différences qui nous séparent, il me semble, dit-elle, que nos expériences se rejoignent. Tout comme vous, j'aimais quelqu'un qui ne pouvait pas, ou ne voulait pas, me le rendre. Sans doute est-ce là ce qui nous rapproche...

Elle continua sur le même ton jusqu'à leur retour, exprimant à mots couverts sa crainte d'être une fois de plus déçue...

Tim l'écouta en silence, mais ce fut pour mieux l'embrasser en arrivant.

— Nous reparlerons de tout cela demain... dit-il en reprenant son souffle.

Ravie, confuse, et mortellement inquiète, Susan referma la porte derrière elle.

La nuit porte conseil. En début de matinée Susan appela au téléphone le petit John, et dans l'après-midi elle s'adonna à son sport favori, la spéléologie. Arcboutée contre la paroi, ses brodequins agrippant la roche, elle descendait lentement au fond d'un puits naturel.

Le conduit donnait sur une minuscule grotte, que la lampe fixée à son casque suffit amplement à éclairer. Une fois en bas, elle héla son compagnon :

— A toi, maintenant. Prends garde à cette saillie à mi-parcours.

Sa passion pour la spéléologie ne datait pas d'hier. En dehors de l'aspect purement sportif, qui l'aidait à conserver la ligne et à se maintenir en forme, elle était depuis toujours fascinée par les entrailles de la terre, cet univers obscur et silencieux, où s'estompent les repères habituels...

En attendant John, elle s'accroupit et but une gorgée à sa bouteille thermos. Elle faillit penser à Tim...

John mit cinq bonnes minutes à la rejoindre. Essoufflé et trempé de sueur, il ployait sous le poids de l'équipement flambant neuf qui lui avait été offert à l'occasion de son anniversaire: sac à dos, filin, échelle de corde, crochets, etc., toutes choses au demeurant parfaitement inutiles, bien que Susan n'en soufflât mot afin de ne pas gâcher son plaisir. Membre actif du club de spéléologie de Moscow, elle formait à ce titre de nombreux débutants parmi lesquels John, un adolescent de quinze ans, était son préféré.

— C'est plus dur que je ne pensais, dit-il.

Elle hocha la tête et lui offrit du café.

— Le décor n'a rien d'extraordinaire, je le reconnais, mais c'est l'endroit idéal pour s'entraîner à la descente.

— Je préférerais utiliser l'échelle et les crochets.

— Chaque chose en son temps. Il faut d'abord assimiler les bases avant de se lancer dans les raffinements, observa-t-elle avec le sourire.

Il ôta son casque pour s'éponger le front.

— Etes-vous déjà tombée?

— A plusieurs reprises.

— Vous êtes-vous jamais retrouvée coincée entre des éboulis?

— Une fois ou deux.

— Quelle impression ressent-on à ce moment-là?

— C'est terrifiant, répondit Susan.

Bien moins, aurait-elle pu ajouter, que de sombrer toute entière entre les bras d'un homme.

— T'es-tu entraîné à faire des nœuds?

— Oui. Je vais vous montrer.

Il déroula le cable de nylon passé dans sa ceinture pour faire une démonstration de ses talents. Il s'agissait de permettre à la corde de remonter, tout en la bloquant dès que s'exerçait une pression vers le bas, afin d'empêcher de dévisser le malheureux qui aurait perdu l'équilibre.

— Si vous n'y voyez pas d'objection, je m'en vais recommencer le parcours dans l'autre sens.

— D'accord. Fais attention à cette corniche et remonte face à l'est.

— Je sais, dit l'adolescent.

A cet âge, on croit tout savoir mais la vie se charge, hélas, de corriger cette naïve présomption ; elle l'avait appris à ses dépens...

Elle vida son gobelet en cillant des yeux, trouvant vraiment idiot de prendre des excitants alors qu'elle était déjà survoltée... Maussade, elle se releva. Tim ne cessait de la hanter. Où qu'elle soit, quoi qu'elle fasse, il occupait toujours le centre de ses pensées...

Un fantôme chasse l'autre. Pour essayer de l'oublier, elle songea à Karn.

Karn, qui l'avait tant fait souffrir, et pour qui elle avait versé des torrents de larmes... Tim et lui étaient le jour et la nuit. Universitaire — il enseignait la géologie —, et de dix ans son aîné, Karn était un petit homme ramassé et paisible. A l'époque où elle avait fait sa connaissance, elle avait pratiquement déjà tiré une croix sur sa vie sentimentale.

Il avait besoin d'elle. Et cela avait été pour elle une révélation, personne jusqu'alors ne lui ayant témoigné d'affection véritable. Galvanisée par cette découverte, un peu vite assimilée à une promesse de bonheur, elle lui avait pardonné ses quelques maladresses ; comme lorsqu'il l'appelait par mégarde du nom de sa femme, ou qu'il évoquait à jet continu le souvenir de la défunte. Elle n'était pas jalouse, persuadée qu'avec le temps et beaucoup d'amour, il parviendrait à surmonter son chagrin…

Et puis il était aussi le premier homme auquel elle se soit donnée, et c'est à lui qu'elle devait d'avoir découvert le bonheur d'aimer. Le bonheur d'aimer mais aussi, hélas, la douleur de ne pas être aimée pour elle-même. Leur première nuit avait été inoubliable. Jusqu'à la fin de ses jours elle garderait en mémoire le souvenir de leurs étreintes exaltées, et de Karn, balbutiant le nom de son épouse au lieu du sien…

Par pudeur, elle ne lui en avait jamais rien dit, mais elle en avait été mortifiée et la blessure, depuis, ne s'était jamais totalement cicatrisée.

— Susan ? Je viens de faire l'aller-retour. Pourrais-je recommencer maintenant avec l'échelle et les crochets ?

Elle reboucha la bouteille thermos et l'accrocha à sa ceinture.

— Un autre jour. Il se fait tard, et nous avons encore trois heures de route.

— Juste une fois, insista-t-il.

Elle céda, bien que cela l'obligeât à rester vingt minutes de plus dans cette grotte minuscule à broyer du noir.

Après sa rupture avec Karn, elle avait pris son parti de demeurer seule et de fuir comme la peste les avances des hommes, renoncement douloureux qui dans son cas — elle avait tellement de succès ! — confinait au masochisme. Célibataire prétendument endurcie, elle s'était alors organisée pour vivre en autarcie, et il faut convenir que cela ne lui avait pas trop mal réussi… jusqu'à ce qu'elle rencontre Tim Murphy.

Tout naturellement, elle s'était sentie des affinités avec lui qui avait traversé des épreuves analogues aux siennes. L'un et l'autre avaient jadis fait fausse route, et il leur fallait désormais composer avec la réalité ; son seul avantage étant d'avoir à cet égard une longueur d'avance sur lui...

Si vif soit donc son engouement, elle n'en gardait pas moins à l'esprit la dure leçon apprise quelques années plus tôt, et elle se refusait absolument à verser dans les mêmes travers. Car elle savait qu'une nouvelle déception eût été pour elle un désastre.

Son sixième sens l'alerta. Il devina sa présence sans avoir besoin de lever les yeux. Lundi matin était jour d'affluence, personne n'aimant déjeuner seul ni commencer la semaine sans respirer d'abord une grande bouffée de chaleur humaine. Mais cela ne lui disait pas pourquoi Susan était là, car ce n'était certainement pas sans raison qu'elle avait décidé de passer par son établissement avant de gagner l'université...

Elle laissa son manteau au vestiaire et refusa poliment la place que lui proposait Sallie, l'une des serveuses. Plus ravissante que jamais avec sa petite jupe coquelicot et son chemisier à rayures, elle traversa la salle, la bouche en cœur, pour le saluer. Par malheur, il était débordé. George étant malade, il lui fallait mettre les bouchées doubles et faire office à la fois de cuisinier, de serveur et de caissier, ce qui ne lui laissait pas une minute. Il termina donc les omelettes commencées, tout en la surveillant du coin de l'œil. Sallie continuait à la suivre, l'incitant à s'asseoir mais elle ne semblait décidément pas pressée de lui obéir. Curieuse, elle fit le tour de la pièce. Le petit établissement que tenait Tim était sans prétention et offrait un compromis agréable entre le bar et le restaurant. On l'avait sobrement meublé et peint en jaune pâle, afin de ne pas agresser les gens au saut du lit par des couleurs criardes.

Les omelettes grésillaient dans la poêle. Il se retourna très vite pour les sortir du feu avant qu'elles ne brûlent et n'enfument la cuisine.

— Il paraît que vous manquez de personnel, ce matin ?

L'œil vif et le teint frais, elle lui sourit aimablement, désarmante de grâce et de désinvolture.

— Le cuisinier est malade, et l'un des garçons de salle a rendu son tablier la semaine dernière. N'avez-vous pas de cours, ce matin ?

— Si, je commence à huit heures. Comme il ne me restait plus de café, j'ai pensé que je pourrais en trouver ici, dit-elle, en ponctuant sa déclaration d'une grande bourrade amicale qu'elle lui appliqua dans le dos.

Il écarquilla les yeux et réprima un sourire.

Sans transition, elle attrapa une cafetière et fit le tour de la salle pour remplir les tasses des clients, glissant un petit mot gentil à chacun ; Harvey, grand diable roux, plastronnait dans son uniforme de policier. Mme Mac Carthy lui fit le récit de ses malheurs, M. Baker lui parla de son travail...

Tim se décida enfin à intervenir. Se saisissant du chauffe-plats qu'elle tenait en main, il lui tendit à la place un grand bol de café fumant. Leurs doigts se frôlèrent, il s'émut...

Que diable cherchait-elle, de si bon matin ?

— Malgré mes piètres talents culinaires, je suis quand même capable de brancher un chauffe-plats, et même, au besoin, de faire cuire des œufs... Vous auriez bien besoin d'un coup de main ; il y a un monde fou...

— Faites-moi le plaisir de vous asseoir, afin que je puisse admirer vos jolies jambes.

Elle baissa les yeux sur sa petite jupe rouge.

— Elles vous plaisent ?

— C'est peu dire. Vous avez des jambes de rêve, qui rendraient fou n'importe qui...

— Vous n'êtes pas très difficile. Tant mieux, j'ai toujours aimé la simplicité chez un homme. Où dois-je mettre ces crêpes ?

— Posez-les sur une assiette, bien en vue, de manière à ce que Sallie les prenne à son prochain passage. Maintenant, je vous en prie, asseyez-vous.

Elle n'en fit rien et continua pendant une bonne demi-heure à lui rendre de menus services. Tim guettait avec impatience l'occasion de lui parler en privé, mais les clients ne cessaient d'arriver et il avait fort à faire.

Tout à coup, il s'aperçut qu'elle avait disparu. Elle s'était esquivée subrepticement, sans même lui dire au revoir. Il la chercha en vain du regard. L'oiseau s'était envolé...

— Tim ?

Il se retourna, pantois, vers Mme Mac Carthy, assise au bar.

— Auriez-vous perdu votre langue ? On ne vous entend pas beaucoup, ce matin. Je tenais à vous complimenter : les gaufres étaient délicieuses. Vous seul savez les faire comme je les aime.

Il sourit et se replongea dans ses méditations. A quoi rimait donc cette visite matinale ? A n'en point douter, ce ton léger et cette désinvolture étaient soigneusement étudiés. Elle avait cherché, par ce biais, à minimiser ce qui s'était passé entre eux, à réduire la portée et la signification de leurs baisers de l'avant-veille... Bref, elle lui signifiait ainsi son désir de s'en tenir à des relations d'amitié ; ce qui, peu ou prou, revenait à lui dire qu'elle n'était pas amoureuse de lui...

Bigre... Amateur de jolies femmes, il était doté d'un palmarès éloquent mais c'était pourtant bien la première fois qu'on lui expliquait avec autant de tact et de délicatesse qu'il s'était fourvoyé...

Fallait-il pour autant s'en étonner ? Une femme aussi énergique, indépendante et ambitieuse que Susan Markham ne pouvait se contenter d'un brave type ordinaire comme lui. Non, il lui fallait quelqu'un d'exceptionnel, capable de rivaliser avec elle dans tous les domaines et de l'aimer sans réserve...

N'était-ce pas là une gageure ?

Il s'adressa à la vieille Mme Mac Carthy :

— Auriez-vous par hasard de l'aspirine sur vous ?

5.

Susan eut le sentiment d'avoir, somme toute, parfaitement atteint son objectif, ce matin-là au restaurant. Les faits parlant d'eux-mêmes, et Tim étant quelqu'un de simple et de direct qui jugeait sur pièces, elle lui avait donné un exemple concret du genre de relations qu'elle entendait avoir avec lui : une saine amitié, une camaraderie bon-enfant, fondées sur l'estime et l'affection réciproques, libres de tout malentendu et dénuées d'arrière-pensées... Il aurait été navrant de gâter cette innocente complicité par des considérations oiseuses et déplacées.

Elle déchanta le soir-même, en le voyant à son retour faire les cent pas devant chez elle. Il se précipita pour lui ouvrir sa portière :

— Bonsoir, Suze, dit-il avec le sourire.

Galamment, il attrapa les sacs de provisions posés sur la banquette tandis qu'elle se contentait de le regarder, stupéfaite.

Le choc qu'elle venait d'éprouver en le voyant ne venait pas de son attitude mais de son apparence générale : rasé de près, sa coupe de cheveux dénotant une visite récente chez le coiffeur, il avait remisé ses jeans élimés et son chandail défraîchi au profit d'une élégante veste de daim et d'un pantalon bleu marine ; une cravate assortie avait été nouée sur sa chemise blanche.

Il était absolument superbe, mais Susan, toujours sur le qui-vive, se montra avare de compliments.

— Mon Dieu, quelle allure solennelle ! Revenez-vous d'un enterrement ? plaisanta-t-elle.

Il ne répondit rien, tout occupé à caler entre ses bras les trois gros sacs en papier Kraft.

— Pourriez-vous prendre le lait et m'ouvrir la porte ? demanda-t-il.

— Ne me laisserez-vous rien porter d'autre ?

— Non. A moins que vous ne vouliez vous forger des biceps de culturiste...

Il hocha la tête en montant l'escalier :

— Qu'y a-t-il, là-dedans ; du plomb ?

Il la railla gentiment comme elle tardait à retrouver ses clefs, et il rit ensuite de sa riposte. Nerveuse, Susan trébucha sur les journaux posés devant la porte. Elle tâtonna pour trouver l'interrupteur, accrocha sa veste au portemanteau, déposa le courrier sur le bar, autant de gestes mécaniques qu'elle accomplissait ce soir avec une fébrilité inhabituelle.

Ravie au fond de le revoir, elle n'en redoutait pas moins ses propres réactions, luttant désespérément pour ne point céder à cette étrange euphorie qui s'emparait d'elle lorsqu'ils se trouvaient face à face.

Tim, quant à lui, semblait parfaitement à l'aise. Sans façon, il enleva ses chaussures en entrant, puis sa veste, avant d'aller déposer son chargement à la cuisine. Commençant à vider un sac, il s'amusa d'y dénicher un sachet de collants.

— J'ai beaucoup réfléchi, Suze, dit-il posément.

On devinait aisément à quoi... Pour couper court,

Susan se saisit du paquet et le cacha sous le pain. Il attrapa une pomme :

— Je constate avec surprise que vous semblez n'attacher aucune importance à ce qui s'est passé samedi soir.

— Il ne s'est rien passé, répliqua-t-elle vivement.

— Mais si…

Continuant à vider le contenu du sac, il en sortit encore un tube d'aspirine, du savon parfumé et du shampooing à la cerise. Il entassait tout cela pêle-mêle sur la table.

— Il s'en est fallu de peu que nous ne terminions la soirée dans le même lit…

Il examina la marque du flacon de pastilles vitaminées avant de le placer avec le reste.

— Heureusement, nous sommes tous les deux trop grands pour nous laisser… emporter par nos élans. C'est bien votre avis, n'est-ce pas ?

Crispée, elle serra nerveusement la boîte de café entre ses doigts, ne sachant soudain qu'en faire.

Il fouilla ensuite dans les tiroirs en bas du placard pour ranger la sauce tomate avec les autres boîtes de conserve.

— Je ne m'expliquais pas que vous ayez pu deviner si vite mes sentiments pour Kay, jusqu'à ce que vous me parliez ce soir-là de votre ancien ami… Comment s'appelait-il déjà ?

— Karn.

Tel était donc le nom du misérable qui, volontairement ou non, lui avait fait tant de mal…

— J'ai donc réfléchi à vous et à ce Karn… et il m'est apparu que, toutes proportions gardées, nous avions tous deux vécu la même chose et que l'un comme l'autre nous avions frappé à la mauvaise porte… J'y vois également un heureux présage, tant il est rare de trouver quelqu'un qui vous comprenne, conclut-il.

— Oui... soupira-t-elle.

Insensiblement, elle s'était rapprochée de lui, comme aimantée par le grand corps viril. Qu'importait qu'il reprenne à son compte son raisonnement de l'avant-veille. S'il avait besoin de s'épancher, elle accueillerait volontiers ses confidences.

— C'est pourquoi, ajouta-t-il, au bout du compte, je suis certain que nous sommes faits pour nous entendre et qu'il n'y a pas lieu de faire de manières ni de s'embarrasser de scrupules...

— Ravie de vous l'entendre dire.

— Vous m'êtes déjà si chère et si précieuse, Suze, comparée aux autres...

Il n'y avait aucune emphase dans sa voix, rien qui puisse justifier le trouble insensé qui la saisit alors. Folie, se dit Susan. Ils tenaient chacun à la main une boîte de conserve, elle de champignons, et lui d'oignons frits. Leurs regards se croisèrent, dans un silence lourd de signification...

Une soupe en boîte roula à terre. Susan se pencha pour la rattraper, mais Tim se montra plus rapide.

— Puisque nous sommes d'accord sur ce point, dit-il, accepteriez-vous de m'accompagner ce soir à une lecture publique de poèmes? Etant bien entendu que nous mangerons d'abord quelque chose...

Susan ouvrit des yeux ronds.

— Une lecture publique de poèmes..., répéta-t-elle, interloquée.

— Oui. Une poétesse de New York vient à Moscow présenter ses dernières œuvres, à l'invitation du département de littérature de l'Université.

— Depuis quand vous intéressez-vous à la poésie? demanda-t-elle, perplexe.

— Pour qui me prenez-vous? Je ne suis pas l'illettré que vous imaginez...

Il lui jeta un regard amer puis tourna la tête.

— Il doit bien y avoir de la viande quelque part, observa-t-il à mi-voix, en ouvrant le réfrigérateur.

Nullement convaincue de son intérêt pour la poésie, Susan n'en accepta pas moins de le suivre, autant par curiosité que pour ne pas le froisser.

Deux jours plus tard, elle le vit se glisser subrepticement dans l'un de ses cours et aller s'asseoir au dernier rang sur la gauche. Sa présence à cette heure — il était à peine midi — et en ce lieu, lui parut éminemment suspecte. Cherchait-il par hasard à parfaire sa culture générale, et après avoir manifesté une passion subite pour la poésie, tenait-il maintenant à acquérir des notions d'anthropologie ? Si tel était le cas, il n'allait pas être déçu !

— Nous imaginons à tort que nos valeurs judéo-chrétiennes gouvernent le monde, alors qu'elles ne concernent en fait qu'une petite minorité. La monogamie n'est ainsi pratiquée que par le cinquième de l'humanité. La plupart des cultures autorisent l'homme à posséder plusieurs femmes, sans que nul n'y trouve à redire. Il ne saurait par conséquent exister de liens étroits et durables entre l'homme et la femme que s'ils sont par ailleurs, cas de figure finalement assez rare, liés par des conditions économiques. Débarrassons-nous donc des clichés romantiques habituels sur l'amour et le couple...

A la fin du cours elle ramassa les copies, sans lui prêter apparemment la moindre attention.

Il attendit que tout le monde soit sorti pour venir à sa rencontre. Le cœur battant, Susan le vit s'approcher à grandes enjambées.

Ne cesserait-il donc jamais de la poursuivre de ses assiduités ?

Tout allait si bien lorsqu'il n'était pas là ! Elle pouvait alors examiner calmement la situation et se convaincre des inquiétantes similitudes qui existaient avec ce qu'elle avait jadis connu auprès de Karn.

A l'inverse, il suffisait qu'elle le voie pour se sentir transportée d'allégresse, et prête à commettre les pires bêtises, tant il était séduisant, troublant...

Consciente du danger, elle l'attendit de pied ferme.

— Vous tenez des propos singuliers et fort peu orthodoxes, dit-il avec un lumineux sourire.

Il s'empara du paquet de copies qu'elle tenait sous le bras.

— Ne craignez-vous pas de choquer vos jeunes étudiants, en leur présentant une vision aussi cynique et désabusée de l'existence ?

— Parce que je m'écarte des sentiers battus et que je ne m'en tiens pas aux contes de fées ? rétorqua-t-elle avec humeur.

Fuyant son regard incrédule, elle se retourna pour prendre ses lunettes sur le bureau.

— Je présume que vous n'êtes pas venu pour entendre un exposé sur les vices et les vertus de la monogamie.

— Effectivement. Je suis là parce que j'ai besoin d'aide.

Tiens donc ! Manifestement, il suivait à la lettre ses conseils et s'en remettait à elle à tout propos...

— Quel genre d'aide ? interrogea-t-elle, suspicieuse.

Il lui ouvrit la porte :

— Je crois me souvenir que vous n'avez plus d'autre cours le mardi ?

Susan s'abstint de lui donner une réponse qu'il connaissait d'avance. Il ne reprit la parole qu'en arrivant dans son petit bureau :

— Voilà, dit-il, je suis un peu gêné de vous demander cela...

— Avez-vous des ennuis avec votre commerce ?

— Il ne s'agit pas de ça.

Il referma soigneusement la porte derrière lui, désireux de ménager le secret de leur conversation. L'air soucieux, il se passa la main dans les cheveux, se racla la gorge, respira profondément, se racla de nouveau la gorge ; bref, il multiplia les signes traduisant un profond désarroi.

Susan, qui n'était point dupe, sourit de son manège. Pour conserver un semblant de sérieux, elle mit ses lunettes et croisa les mains.

— J'espère au moins que vous n'allez pas me demander de vous raconter l'histoire de la petite graine qui va féconder la fleur, railla-t-elle.

— Je n'oserais pas vous déranger pour des bêtises, répondit-il.

— Alors, c'est grave...

Il hocha la tête.

— J'ai besoin de m'acheter un costume, dit-il.

Sidérée, et aussi au fond un peu déçue, Susan ôta ses bottes, puis elle s'assit et s'accouda au bureau, la tête entre les mains.

Sa tenue habituelle, vieux jeans élimés et troués, veste mitée et chemise informe à laquelle il manquait la moitié des boutons, se passait de commentaires et témoignait du bien-fondé de sa requête. Joignant le geste à la parole, il désigna ses guenilles :

— J'en ai vraiment besoin !

— Mon pauvre Tim, vous me faites pitié ! lança-t-elle, moqueuse.

— Je sais...

— Heureusement, il ne manque pas de boutiques de confection masculine en ville.

— Vous ne m'écoutez pas sérieusement, protesta-t-il.

— C'est bien difficile...

— Mettez-vous à ma place : je suis perdu dans les magasins, et j'ignore tout de la mode. Je vous en prie, ne me laissez pas tomber sinon je risque de revenir attifé comme l'as de pique ! plaida-t-il sur un ton suppliant.

Son histoire était cousue de fil blanc, ne s'agissant, évidemment, que d'un aimable prétexte pour passer l'après-midi avec elle. N'y voyant toutefois pas malice de sa part, Susan, finalement ravie de l'aubaine, accepta de lui servir de guide et d'habilleuse-conseil. Il demeura néanmoins très évasif lorsqu'elle tenta d'obtenir quelques précisions sur ses goûts et sur son budget, se contentant de répéter, tel un gamin capricieux, qu'il lui fallait un costume...

Susan ne savait ce qui l'attendait. L'ignorance de Tim en matière vestimentaire était proprement stupéfiante.

Pour commencer, il ne connaissait pas sa taille. Ensuite, il n'avait pas la moindre idée de ce qui pourrait lui convenir, ce qui le poussait effectivement à acheter n'importe quoi. Susan, bien sûr, l'en empêchait mais la tâche était rude.

— Aimez-vous le bleu marine ? Ou bien préférez-vous le gris ? Voulez-vous une toile rayée ou bien unie ?

— Comme il vous plaira ; ça m'est égal...

— Dites-moi au moins combien vous voulez dépenser, je ne voudrais pas vous ruiner.

— Ne vous faites pas de souci pour ça.

— Je ne vous savais pas si riche !

— Bah, au pire, je peux toujours vendre le restaurant. Mais rassurez-vous, nous n'en sommes pas là...

— Vous me connaissez mal. Donnez-moi un carnet de chèques ou une carte de crédit, et je suis capable de dépenser une fortune dans l'après-midi...

— C'est bien ce que je pensais, Suze...

Conscient d'avoir fait une gaffe, il feignit de s'intéresser aux chemises et finit par sortir du rayon un modèle bleu turquoise rayé d'orange.

— Serait-ce la mode?

— Oui, du moins pour certains. Mais je ne crois pas que cela vous irait.

— Ah bon...

Dans ces conditions, on imagine qu'il ne fut pas de tout repos d'habiller le phénomène. Par ailleurs, comme il était immense, il s'avérait difficile de trouver sa taille. Susan lui fit d'abord essayer un ensemble noir, mais ça lui donnait l'air sombre et austère d'un Abraham Lincoln. De même, il ressemblait à un paysan endimanché dans un costume fil à fil anthracite. Mais, en revanche, le bleu marine lui allait à ravir. Susan comprit au premier coup d'œil que c'était ce qu'il lui fallait: il était méconnaissable dans son beau complet, devenu, du gros ours mal fagoté de tout à l'heure, un homme aux allures de prince et... au charme éblouissant.

Sans le vouloir, Susan s'était piquée au jeu, et elle ne put réprimer le mouvement de surprise et d'admiration qui la porta spontanément au-devant de lui, lorsqu'il resurgit ainsi transformé.

Il lui sourit, goguenard.

Fustigeant son étourderie, elle se réfugia devant les cravates. N'avait-elle pas fait preuve d'une impardonnable légèreté en acceptant de le suivre ici? On ne choisit pas impunément les habits d'un homme; cela implique autre chose...

Elle sélectionna quatre modèles sur le présentoir et les lui posa sur le bras.

— Laquelle préférez-vous?

— Je les trouve toutes très bien, dit-il, sur un ton blasé.

— Allons, il faut que ça vous plaise, le raisonna Susan.

— J'aime bien la bleue avec les petites raquettes jaunes imprimées.

Susan ne lui demandait son avis que pour la forme, le vendeur et elle se chargeant de décider pour lui. Il était décidément incapable d'effectuer un choix correct et il aurait certainement accumulé les fautes de goût si on l'avait écouté. Susan se demanda un moment s'il ne se moquait pas d'elle, tant il semblait indifférent à ce qu'il achetait. Elle n'en sélectionna pas moins pour lui quelques chemises simples et élégantes entre lesquelles elle lui demanda de choisir.

Il s'impatienta, et pour couper court, il ramassa le paquet de vêtements pré-sélectionnés et se dirigea vers la caisse.

Susan frémit en voyant la somme inscrite sur le ticket.

— Mon Dieu, comment est-ce possible ? Il n'est peut-être pas nécessaire de tout prendre. Deux ou trois chemises et une cravate suffiraient sans doute...

Mais pour lui, le jeu avait assez duré. Il se dépêcha de régler et quitta le magasin, flanqué de Susan, un peu honteuse de l'avoir ainsi poussé à la dépense.

Dehors, la température avait encore baissé, et les gens se pressaient de rentrer chez eux en sortant du travail. Cinq heures, déjà ! Susan n'avait pas vu le temps passer, tout occupée à habiller monsieur. Bigre...

— Si nous allions dîner ? lui demanda-t-il soudain. Pour votre peine, je vous dois bien un repas.

Elle se récria :

— Il faut que je rentre, j'ai une foule de copies à corriger.

Il lui déposa soudain son fardeau entre les bras.

— Eh !

— Tenez-moi ça une seconde. J'ai oublié quelque chose, dit-il.

Un sourire coquin éclairait son visage. Susan se retrouva noyée derrière une énorme pile de cartons.

— J'ai oublié de vous embrasser, ajouta-t-il, une lumière très tendre dans le regard.

— Non !

Dans le geste apeuré qu'elle eut pour le repousser, tout son chargement s'écroula. Tim ramassa méthodiquement les articles éparpillés sur le trottoir, puis il la fixa, l'œil luisant de désir…

— Je croyais que nous avions mis les choses au point, dit-il à mi-voix.

— De quoi parlez-vous ?

— N'étions-nous pas convenus de jouer franc-jeu et de ne plus invoquer de faux prétextes ? Comme par hasard, vous avez toujours des copies à corriger quand je vous invite à dîner…

Tout bas, il enchaîna :

— C'est la peur qui vous retient. Vous redoutez ce qui risque d'arriver, si nous n'y prenons pas garde.

Elle le défia du regard, vexée de n'avoir pas mieux donné le change.

— Rassurez-vous, Suze, reprit-il doucement, je ne vous veux pas de mal…

Sur ce, il tourna les talons.

Perplexe, elle le vit s'éloigner. Hélas, il avait vu clair : elle était terrifiée, chaque nouvelle rencontre aggravant encore le fol émoi qui la précipitait dans ses bras…

Susan eut un haut-le-corps en ouvrant sa portière. Brrr… Il gelait à pierre fendre. Son ample cape de velours noir ne lui assurant qu'une protection toute relative contre le froid, elle tremblait de tous ses membres en pénétrant dans le hall du grand auditorium de l'Université de l'Idaho.

Elle fit néanmoins une entrée remarquée, et c'est au milieu d'une cohorte d'admirateurs silencieux qu'elle fouilla nerveusement dans son sac pour retrouver le billet que Tim—le fourbe ! — lui avait glissé l'autre soir pendant qu'elle regardait ailleurs.

Ville universitaire, Moscow était le théâtre de nombreuses manifestations culturelles, dont Susan se montrait particulièrement friande. Ce soir, donc, elle assistait à un spectacle de ballets, donné par une célèbre troupe d'Union Soviétique, bien que par goût elle fût plutôt portée sur le Rhythm and Blues, et ainsi plus familière du répertoire de James Brown ou d'Aretha Franklin que du Ballet du Kirov ou de la chorégraphie du Bolchoï.

Elle grelottait encore en gagnant sa place. Un rapide coup d'œil dans le miroir de son poudrier la rassura un peu : son maquillage n'avait pas bougé et sa coiffure était toujours impeccable...

Elle déposa son sac sur le siège de droite, puis elle croisa les jambes, les décroisa, les recroisa encore...

Nerveuse, Susan ? Non, bien sûr... Mais assurément surexcitée, pour ne pas dire survoltée, à l'idée de retrouver bientôt ce grand gaillard de Tim Murphy...

Les lumières s'éteignirent ; dans la fosse, les musiciens accordaient leurs instruments. C'est alors que survint un géant brun, pris dans un élégant complet bleu marine. Susan retint son souffle tandis que Tim lui coulait un sourire :

— Bonsoir, Suze...

Une fois n'est pas coutume, elle était bien décidée à garder la tête froide.

— Depuis quand vous intéressez-vous à la danse classique, monsieur Murphy ? badina-t-elle.

— Qu'y a-t-il d'étonnant à cela?

Le rideau se leva et un essaim de ballerines en tutu se répandit sur la scène, au milieu d'un tonnerre d'applaudissements. Le spectacle commençait. Séduite par la grâce et la fraîcheur des danseuses, Susan ne leur prêta toutefois qu'une attention distraite, tant ce pauvre Tim semblait mal à l'aise à côté d'elle. Il avait manifestement du mal à caser ses grandes jambes, sa cravate l'étranglait, et il était obligé de s'enfoncer dans son siège pour ne pas gêner la dame assise derrière lui.

Susan se pencha vers lui:

— Ne sont-elles pas extraordinaires? demanda-t-elle tout bas.

— Si.

— Vous appréciez, j'espère?

— Evidemment. J'ai toujours adoré la danse classique.

Mais cinq minutes après, elle l'entendit bâiller. Cela confirmait ses soupçons: il ne s'agissait là encore que d'un prétexte pour passer un moment avec elle. Car "Le Lac des Cygnes" et la prestation tout à fait exceptionnelle de la troupe soviétique le laissaient, du moins en apparence, tout à fait indifférent.

Pourquoi montrait-il donc tant d'insistance à la voir, quand par ailleurs il était le premier à souligner la nature purement amicale de leurs relations?

De nouveau il étouffa un bâillement.

Tout aurait été si simple s'il n'y avait eu, chez elle, cet immense besoin d'amour et de tendresse, et le rêve totalement fou de se sentir enfin aimée pour elle-même. Car c'est bien là ce qui la faisait se précipiter, le cœur battant, à leurs rendez-vous. Tim était devenu le petit rayon de soleil qui égaye la grisaille quotidienne, et c'est vrai qu'auprès de lui, elle voyait la vie sous un jour nouveau, l'avenir ne lui faisait plus peur, et le bonheur cessait de s'éloigner tel un mirage...

En attendant, il avait l'air de s'ennuyer à mourir. Il soupira, bâilla, puis se mit à s'agiter sur son siège. Il avait pratiquement les genoux dans le menton, et il finit par sortir une jambe dans l'allée. Nouveau bâillement...

— Bon, fit-elle à voix basse, ça suffit. Allez, venez!

— Que se passe-t-il?

— Chut!

Désolée de paraître ainsi snober une représentation de cette qualité, elle se glissa le plus discrètement possible vers la sortie, bien qu'il soit impossible de passer inaperçu à côté d'un géant pareil.

Il se précipita pour lui ouvrir la porte, et lui prit la main.

— Qu'y a-t-il? Vous êtes souffrante?

— Pas du tout. Je vais très bien.

Machinalement elle chercha son sac, et fit la grimace en constatant qu'il avait disparu.

— Sapristi, je l'ai oublié dans la salle! gronda-t-elle, en lui jetant un œil noir.

Il souriait d'aise, visiblement soulagé d'avoir écourté son supplice.

— Je ne saisis toujours pas pourquoi vous m'avez amenée ici... maugréa-t-elle.

— Je vous demande pardon?

— Rien. Je... Rentrons. Prenez le volant, j'ai horreur de conduire sur le verglas, et emmenez-moi chez vous.

— Et votre sac?

— Pfuit! Que celui ou celle qui le trouve le garde ; il n'y a rien dedans, à part du parfum et un bâton de rouge à lèvres. J'irai demain signaler sa perte au bureau des objets trouvés.

— Comment allons-nous démarrer, si vous n'avez pas vos clés?

— Je vous expliquerai ça dehors.

La température avait encore baissé, et l'air glacial

déchirait les poumons. La tête rentrée dans les épaules, serrés l'un contre l'autre, ils traversèrent en courant le parking.

— Comme je suis passablement distraite, je garde toujours un double accroché sous l'aile avant-droite, expliqua-t-elle, en s'agenouillant devant une roue.

— Ah...

Un quart d'heure plus tard, ils se garaient devant une sorte de grand ranch en briques rouges, tapi au milieu des bois. Une fois à l'intérieur, Tim se contenta de lui prendre sa cape et d'allumer le salon, avant de disparaître à la cuisine:

— Je vais faire du café, annonça-t-il.

Susan craignit de l'avoir agacé par ses bavardages incessants. Elle n'arrêtait pas de jacasser et le malheureux ne parvenait pas à placer un mot. En général, les hommes détestent les pipelettes, et il n'y avait pas de raison pour qu'il fasse exception à la règle.

Pourtant, jusqu'alors, il avait témoigné à son égard d'une patience angélique, sans jamais prendre ombrage ni se lasser de ses fréquentes sautes d'humeur et de sa nature volubile...

Croisant les bras, elle pénétra dans le salon, et constata avec plaisir qu'il vivait dans une maison agréable. Aménagée avec goût et soigneusement entretenue, la pièce était aux antipodes de l'antre du célibataire où règne un désordre infâme qu'elle s'était imaginé.

Il aimait les teints chauds, tirant sur l'ocre et sur le roux, ainsi qu' en témoignaient les sièges capitonnés ou le canapé en cuir havane. Au centre, la table basse avait été posée sur un épais tapis de laine aux dessins extravagants.

L'ensemble ne manqua pas de la séduire, tout en lui laissant toutefois une impression bizarre. En découvrant le lieu où il vivait, elle s'aperçut soudain qu'elle ignorait pratiquement tout de lui, de son passé, de ses idées, de ses goûts, et qu'elle n'était pas, sans doute, au bout de ses surprises.

Elle glissa un doigt sur le bureau verni et patiné par les ans, jeta un œil à la cheminée, vierge de trace de cendre ou de suie, nota que le porte-journaux était vide.

Notre homme s'était aménagé un petit nid douillet, confortable et accueillant, auquel il ne manquait plus en somme que d'être occupé...

Etait-ce parce qu'il s'y sentait seul qu'il ne restait jamais chez lui ? Elle comprit tout à coup combien lui-même devait se sentir seul, et en elle monta un besoin irrépressible de le choyer, de le chérir, de lui apporter enfin toute la chaleur et la tendresse dont il était si cruellement privé ; penchant qui ressemblait à s'y méprendre à de l'amour...

Susan se retourna et le vit, en bras de chemise, sa cravate desserrée, qui la regardait depuis l'entrée de la cuisine.

— Comment, s'étonna-t-il, vous n'avez pas encore ôté vos chaussures ? Dépêchez-vous, le café est prêt.

Avec lui cette fois, elle poursuivit sa visite. La cuisine, spacieuse et entièrement équipée, était impeccable et parfaitement rangée. Susan remarqua immédiatement les tiroirs, soigneusement fermés, signe d'un esprit ordonné. La pièce brillait de propreté et il n'y avait pas la moindre tache ou trace de doigts sur l'évier ou sur le réfrigérateur, ce qui était pour le moins surprenant, chez un gourmand comme lui.

— Je vous sers maintenant ?

— Oui.

Elle saisit la tasse et la déposa sur la table de travail. Levant alors les bras au ciel, elle soupira :

— Mon Dieu, que vais-je faire de vous ?

6.

— Il y a quelque chose qui vous chagrine ?
— Quelle question !

On parle mieux l'estomac plein. Depuis maintenant deux heures qu'il ne s'était rien mis sous la dent, ce vorace devait être affamé. Susan résolut donc de lui préparer un sandwich.

— L'ennui, déclara-t-elle en sortant mayonnaise, salade, jambon, tomates, cornichons et autres condiments du réfrigérateur, c'est que vous détestez la poésie, que vous avez horreur de faire des courses, et que vous souffrez le martyre lorsque vous êtes au théâtre.

Elle fouilla dans les tiroirs du placard pour trouver un couteau à fromage.

Emu, heureux de la voir ainsi s'activer chez lui, il la regardait sans rien dire.

Qu'elle était belle !

Ses pommettes rougies par le froid rehaussaient l'opale de son teint, ses boucles d'oreille scintillaient sous la lampe et la perplexité se lisait dans son regard. Singulier spectacle que de la voir, si gracieuse et séduisante dans son élégant ensemble de soie rouge, lui préparer une collation. Mais ô combien ravissant! Loin de nuire à son charme ensorceleur, cela donnait à sa personne une petite note de familiarité qui la rendait encore plus aimable, plus accessible, effaçant quelque peu sa nervosité et ses airs farouches. Elle était si craintive, si vulnérable... une poupée de porcelaine, qui se brise dès qu'on la touche.

— Regrettez-vous de m'avoir accompagné l'autre soir à cette lecture poétique?

— Là n'est pas la question. Simplement je ne saisis pas dans quel but vous m'y avez emmenée...

— Avez-vous aimé, oui ou non?

— Oui, bien sûr, répondit-elle, agacée.

— Pour ma part, j'ai pu constater que vous adoriez courir les magasins.

— Je n'ai jamais prétendu le contraire, répliqua-t-elle, en lui tendant un énorme sandwich composé.

Il y mordit à belles dents.

— En réalité, enchaîna-t-elle, c'est plutôt un réflexe conditionné qu'autre chose.

— Vous n'avez pas à vous justifier, Suze. Reste que je suis un peu déçu que vous n'ayez pas apprécié le spectacle de ballets. Je croyais vraiment vous faire plaisir.

— Justement!

Elle replaça tout ce qu'elle avait sorti à l'intérieur du réfrigérateur.

— Pourquoi vous donner toute cette peine? Je ne vous ai jamais rien demandé.

Il s'essuya les lèvres.

— Je suis le premier à reconnaître qu'il s'agissait d'une représentation exceptionnelle, même si par ailleurs je ne connais rien à la danse classique.

Elle eut un geste d'humeur.

— Sapristi, quand vous déciderez-vous à être sérieux? Je voudrais simplement savoir ce que vous aviez en tête.

Comment accéder à sa requête sans risquer de la blesser ? Kay était un sujet tabou, qu'ils répugnaient l'un comme l'autre à aborder, de peur de froisser inutilement des susceptibilités à vif. Et en lui livrant le fond de son cœur, ne risquait-il pas d'aggraver, selon toute évidence, le malentendu qui les séparait ? Son affection pour Kay ne s'était nullement démentie. Il éprouvait toujours pour elle la même tendresse, le même besoin de la voir de temps en temps, mais c'était juste pour le plaisir et sans rien attendre d'autre qu'une amicale et chaleureuse complicité.

Susan saurait-elle le comprendre ? Trouverait-il enfin les mots pour lui dire que ses craintes, ses caprices et ses hésitations le mettaient au supplice, et qu'en secret il se languissait d'amour pour elle ? Cruelle, elle se jouait de lui et le soumettait au régime de la douche écossaise, soufflant tour à tour le chaud et le froid... Amoureux transi, il souffrait en silence. Il n'en dormait plus, il avait perdu l'appétit — oui ! — et même jusqu'au goût de travailler. Chaque matin était plus sinistre que le précédent.

En comparaison, Kay s'était toujours montrée si ouverte, si tolérante, attentive qu'elle était à ne pas le froisser...

Susan, hélas, ne lui témoignait pas la même considération. Toujours prête à le rudoyer et à lui prêter des intentions malhonnêtes, à l'affût du moindre prétexte pour s'enfuir, elle s'effrayait soi-disant de ses audaces, alors qu'elle faisait tout parallèlement pour le rendre fou d'amour...

Pauvre Tim, devenu en l'espace d'un mois le jouet de ses caprices ! Que n'avait-il jeté son dévolu sur une femme douce et aimante, au lieu de s'enticher de cette aguicheuse.

— Bien, dit-il doucement, puisque nous en avons semble-t-il fini...

— Fini? Mais vous ne m'avez encore rien dit! s'insurgea-t-elle.

Bien sûr que non. Il partait perdant à chaque nouvelle confrontation verbale avec Susan, cette bavarde impénitente qui le noyait sous un flot de paroles...

— Quelle est votre pointure? demanda-t-il à brûle-pourpoint.

— ...?

— Comme je doute que vous chaussiez du quarante-trois, vous allez devoir enfiler deux ou trois paires de chaussettes pour tenir dans mes bottes.

Il fit quelques pas dans le couloir, avant de se retourner:

— Avez-vous déjà fait de la luge en pleine nuit?

Une heure plus tard, une vieille luge en bois trônait au sommet de l'une des collines environnantes. Susan avait bien essayé de lui faire entendre raison, mais c'était en pure perte. Elle avait donc revêtu son vieux pull marin par dessus sa robe et enfilé une quadruple épaisseur de chaussettes pour tenter vainement de remplir les bottes immenses. Avec son bonnet, son écharpe et ses gants aussi trop grands pour elle, elle lui paraissait plus fragile et émouvante que jamais.

— J'aimerais tout de même bien réussir à discuter avec vous, continua-t-elle, tenace.

— Voulez-vous vous asseoir devant ou derrière?

— Je meurs de froid. Je ne sais pas à qui appartient cette colline, mais je sais qu'il est plus d'une heure du matin, et que nous risquons d'avoir des ennuis si l'on nous surprend.

— Bon, tant pis pour vous. J'essayais d'être galant; mais puisqu'il en est ainsi, je prends la direction des opérations.

Elle aurait protesté, s'il n'avait pas eu l'air si heureux! Un vrai gamin, tout content de faire des bêtises...

Bon gré mal gré, elle s'assit, jambes repliées, à l'arrière. L'homme avait un grain de folie, c'était évident, quoique rien ne l'obligeât à le suivre dans son délire et dans ses aimables et périlleuses divagations...

Un coup d'œil en bas suffit à lui donner le vertige. La ville de Moscow était construite sur un terrain accidenté et Tim semblait avoir choisi tout exprès la colline la plus haute et la plus escarpée pour se livrer à ce petit exercice nocturne. Une longue pente sinueuse et bosselée menait à un vallon dégagé, serpentant entre les hauteurs hérissées d'immeubles et de maisons individuelles. De timides étoiles perçaient dans un ciel d'encre... La neige étouffait les bruits. L'air était vif, immobile. Le spectacle, féerique, indiscutablement. Encore fallait-il que tout cela ne se termine pas à l'hôpital, avec une jambe ou un bras dans le plâtre. A mi-chemin se dressait un bouquet d'arbres, idéal pour qui aurait eu l'intention de se suicider, ce qui n'était certes pas son cas.

— Vous êtes fou à lier, dit-elle, mi-figue mi-raisin.

— Fermez les yeux.

Elle s'en garda bien. D'un coup de talon il les lança en avant. Lourdement chargée, la luge prit rapidement de la vitesse, et c'est à une allure vertigineuse qu'ils dévalèrent la pente. Susan frémit en voyant se rapprocher le petit bois.

— A droite toute! s'écria-t-elle.

Il se pencha au contraire sur la gauche, entraînant du même coup sa passagère accrochée à lui. Arriva ce qui devait arriver: trois secondes plus tard, la luge atterrissait dans les branchages, et Susan, toute pantelante, dans les bras de son compagnon.

— Vous rendez-vous compte que si je vous avais écoutée rien de tout cela ne serait arrivé?

— C'était précisément ce que je voulais éviter.

— Voyons, Suze, ignorez-vous que cela fait partie du jeu et que c'est la moitié du plaisir?

— Hum…

Il s'ébroua, chassant la neige sur son blouson.

— C'était tellement réussi que nous allons recommencer ; mais cette fois, un peu plus vite.

— Plus vite ! Moi qui avais déjà l'impression d'avoir franchi le mur de son…

— Vous n'avez encore rien vu, ma chère.

Ils rebroussèrent chemin, tirant derrière eux la luge et s'enfonçant dans la neige jusqu'aux genoux. Harassés, ils soufflèrent un instant en parvenant au sommet. Puis Tim reprit les rênes, et de nouveau ils s'élancèrent sur la piste enneigée. Mais leur équipée tourna court lorsque Susan fut brusquement éjectée à mi-parcours. Pour leur troisième tentative, ils adoptèrent, sur l'insistance de Tim, une position plus aérodynamique, lui couché à plat ventre, Susan à califourchon et se cramponnant de son mieux, ce qui leur permit de battre leur précédent record, c'est-à-dire d'atteindre un train d'enfer. La descente s'effectua toutefois sans dommage. Tim, décidément jamais à court d'imagination, et désireux de corser le plaisir, proposa ensuite de répéter l'expérience allongés sur le dos, à contresens. Susan, craignant à juste titre de se rompre le cou, lui opposa d'abord un refus catégorique.

Il insista.

— Allons, Suze…

Elle fondait toujours quand il adoptait ce ton suave.

— Vous a-t-on jamais dit que vous étiez un vrai casse-cou ?

— Nous ne risquons rien. La neige amortira le choc.

Susan demeurait très réticente, d'autant qu'il semblait la narguer et se délecter à l'avance de la catastrophe. Mais à la guerre comme à la guerre : surmontant ses appréhensions, elle s'allongea sur la luge.

Au moment du départ, elle se blottit peureusement contre lui.

L'engin amorça alors une course folle, qui se termina subitement lorsque la luge vint s'encastrer dans une congère au pied d'un arbre. Sonnée, elle resta un moment sans bouger ; puis elle remua un orteil, ouvrit un œil, et elle constata avec soulagement qu'elle était encore de ce monde, bien qu'enfouie sous un mètre de neige et — détail appréciable — maintenue par des bras vigoureux.

Ineffable retour à la vie. Peu à peu ses sens s'éveillèrent dans la quiétude de la nuit silencieuse, emplie de la forte senteur des pins. Elle avait déjà connu des accès de fou rire et des moments d'allégresse, mais jamais une telle ivresse, une telle exaltation, un tel bonheur de vivre.

— Ça va?

Otant un gant, il lui essuya le visage.

— C'est la première fois que je vois cette expression dans votre regard, articula-t-il d'une voix rauque.

— De quoi parlez-vous?

— Je ne suis pas aveugle, figurez-vous, et je sais très bien ce que vous attendez...

— Vous avez, mon cher, une imagination débordante. Je suis trempée, et je crois que j'ai perdu une botte.

— Que craignez-vous qu'il arrive?

Pas de réponse.

— Allez, Suze, faites-moi ce plaisir. Une fois, juste une fois...

Il l'attira doucement et lui vola un baiser. Ne méritait-il pas effectivement une petite récompense, pour avoir par sa gaieté, la chaleur de sa présence ainsi transfiguré cette joyeuse équipée en un instant de bonheur pur?

Les fantômes de Karn et de Kay tentèrent de s'interposer, mais elle les chassa aussitôt. Que risquait-elle, en effet, par moins dix degrés, à deux heures du matin dans la neige ? La température, polaire, aurait suffi à refroidir les ardeurs de l'amant le plus passionné...

Quoique...

Ses lèvres étaient si pressantes... Emporté par son élan, il la plaqua fermement contre lui, déchaînant en elle un fol émoi, une flambée de désir insensible à la morsure du gel.

Il appuya sa joue contre la sienne et murmura quelque chose, avant de s'emparer de sa bouche, encore, et encore...

Sans doute auraient-ils pu éviter l'avalanche, s'ils avaient mis un terme provisoire à ces tendres effusions. Sentant le sol se dérober sous ses pieds, Susan se blottit fébrilement contre lui. Ils perdirent l'équilibre, et ils roulèrent enlacés pendant une cinquantaine de mètres avant d'atteindre le plat. Ils s'esclaffèrent.

Peu importe qu'il en aime ou non une autre. Elle voulait seulement le remercier de toutes ses délicates attentions, de sa patience infinie et de son indéfectible bonne humeur.

— Susie...

Il s'écarta de quelques centimètres, sans la lâcher des yeux, et elle frémit de l'exigence qui se lisait dans son regard.

C'est alors qu'on leur braqua subitement une lampe en pleine figure. Stupeur. L'importun n'était autre que ce brave Harvey Curtis, le policier qui venait tous les matins prendre un café chez Tim, et dont le fils aîné suivait les cours de Susan à l'Université.

— Ça alors... Quand on m'a signalé deux adolescents qui faisaient du tapage dans les bois, j'étais à cent lieues d'imaginer qu'il puisse s'agir de vous...

— Alors, que s'est-il passé ?

— Tu ne vas pas t'y mettre toi aussi ! gronda Susan

entre ses dents, pour ne pas attirer l'attention des étudiants encore présents dans l'amphithéâtre.

Elle fronça les sourcils.

— Qu'est-ce que tu fabriques ici, un lundi matin ? Où sont les jumelles ?

— A l'école maternelle. Je me suis arrêtée chez Tim pour boire un café en revenant de les conduire.

Kay bouillait d'impatience.

— Il y a un monde fou là-bas, et tout le monde parle ce matin des deux chenapans qui semaient la terreur hier soir sur la colline. Comment tout cela s'est-il terminé ?

— Le policier nous a reconduits chez nous, voilà tout. Ne me dis pas que tu n'étais pas au courant ; les nouvelles circulent vite à Moscow. En tout cas, j'ai bien besoin moi aussi d'un café avant mon prochain cours, déclara Susan en ressortant dans le hall.

Elle se dirigea vers les distributeurs de boisson automatiques installés au pied de l'escalier.

— T'es-tu déjà trouvée face à une centaine de potaches au sourire égrillard et narquois ?

— Pas ces derniers temps...

— Songe un peu : je suis allée hier chez le boulanger pour acheter du pain frais, et Mr Gateway m'a offert gracieusement une demi-douzaine de beignets à la cerise.

— Ah...

Tenant d'une main ses livres, son sac et son attaché-case, Susan glissa une pièce dans la fente et appuya sur le bouton qui commandait du café noir.

— Hier encore, je suis allée faire le plein d'essence dans une station-service dont je connais le gérant, Jake Withers, qui vient toujours me laver mon pare-brise. Eh bien, figure-toi qu'il s'est déclaré ravi d'apprendre que Tim avait enfin trouvé “une petite femme sérieuse” !... Ah, les hommes, je te jure...

— Oui, ils sont parfois exaspérants...

— A cause de cet idiot d'Harvey, toute la ville est au courant de notre petite escapade nocturne. De quoi ai-je l'air, maintenant?

— Bah, ce n'est pas si grave.

— C'est toi qui le dis!

Kay sur ses talons, elle gagna la salle de cours, vide pour l'instant.

— Oui, raisonna cette dernière, tu aurais pu attraper un refroidissement. J'espère que vous n'étiez pas trop... déshabillés.

— Bien sûr que non!

— Vous semblez être devenus inséparables.

— Peut-être, mais ça ne veut rien dire.

Agacée, Susan jeta ses affaires sur le bureau, éclaboussant au passage ses livres de café.

Il était manifeste que sa vieille amie Kay ne se contenterait pas de vagues explications, mais qu'elle demanderait à entrer dans les détails. Entre elles n'existait aucun sujet tabou, et elles se disaient tout.

— Ne te vexe pas. C'est juste pour savoir. Comme c'est moi qui vous ai présentés, j'estime avoir le droit de suivre l'évolution de la situation. C'est tout.

— Sais-tu qu'il y a actuellement des soldes au rayon d'enfant chez Sears? dit Susan, passant du coq-à-l'âne.

Elle alluma les lumières de la salle et rassembla les chaises en cercle.

— Il faut croire que c'est grave si tu ne me dis rien, observa Kay.

Pas de réaction.

— T'a t-il parlé de son enfance? Sa mère est morte quand il était bébé. Son père, patron d'une grosse scierie et à la tête d'une fortune considérable, n'a jamais été vraiment un père pour lui. Autoritaire, intraitable, il avait également des idées bien arrêtées sur la manière d'élever un garçon. Il tenait à ce que son fils devienne un homme énergique, ambitieux et responsable.

L'affliction se lut dans le regard de Susan.

— Aussi, reprit Kay, n'hésitait-il pas à le traiter à la dure, pour, comme on dit, lui "forger le caractère". Un jour il alla même jusqu'à l'abandonner dans une forêt — le pauvre gosse avait à peine onze ans! — avec interdiction de rentrer à la maison sans avoir au préalable chassé de quoi se nourrir. Comme Tim a toujours eu horreur de faire couler le sang, il fallut aller le rechercher au bout d'une semaine, à moitié mort de faim et de soif.

Susan abandonna les chaises.

— De grâce, ne m'en dis pas plus.

C'est sans surprise qu'elle venait d'apprendre que Tim venait d'un milieu socialement favorisé et que très jeune il avait perdu sa mère : cela concordait parfaitement avec ce qu'elle savait déjà. Mais jamais elle n'aurait supposé qu'il ait ainsi souffert de la brutalité de son père. Elle comprenait mieux, dès lors, son hyper-sensibilité et sa patience à l'égard des enfants, ainsi que son aversion pour la violence.

— C'est par ouï-dire que j'ai appris la plupart de ce que je sais. Nous nous sommes liés d'amitié, lui et moi, l'année de nos seize ans. A l'époque, il était d'une timidité maladive et bourré de complexes.

— Kay...

— Ecoute-moi encore un peu. Tu as un cours bientôt, je le sais, et moi-même je dois rentrer.

Elle vida son gobelet et manqua son coup en l'envoyant de loin dans la poubelle. Dépitée, elle se leva pour aller le ramasser.

— Voilà des années que nous nous fréquentons, et je l'aime énormément, bien que je ne sois pas sûre de le connaître vraiment. Il s'occupe beaucoup de jeunes en difficulté, bien qu'il n'en parle jamais. Et il va très souvent à Cœur d'Alène, Dieu sait pourquoi... Il reste toujours très discret : jamais on ne l'entend se plaindre ou manifester sa mauvaise humeur. Pas vrai ?

— Si.

Kay grimaça un sourire.

— Comme ce n'est plus un enfant, il a eu tout le temps de se réconcilier avec son père. Nous avons tous plus ou moins ce genre de problème à un moment ou à un autre, et de ce point de vue, il a fait un bon bout de chemin. Seulement, il ne se livre pas facilement et sa vie reste un mystère. Cela fait des années que j'essaie de l'amener à se confier, sans guère de résultats, hélas.

Son visage redevint grave.

— Au début, Mitch se sentait mal à l'aise avec lui, et cela n'a pas été sans créer quelques difficultés. Que veux-tu, j'ai un mari jaloux, persuadé de surcroît que Tim éprouve un faible pour moi. Le bruit court en ville et j'en connais l'origine. A l'époque de notre adolescence, Tim était amoureux de moi, même si ça n'est jamais allé bien loin.

Elle reboutonna son manteau.

— Voilà ce que je voulais dire. Ne t'attends pas à une déclaration d'amour de sa part : il est trop pudique pour cela et d'ailleurs, je ne crois pas qu'il en ait jamais fait.

Ramassant son sac et ses gants, elle jeta un coup d'œil à sa montre.

— Crois-tu que j'aie le temps de faire un tour chez Sears avant d'aller chercher les gosses ?

Entre le départ de Kay et l'arrivée des premiers étudiants il lui restait à peine trois minutes de battement. Ah, la candide innocence de la jeunesse ! Les pauvres petits chéris venaient participer à un débat sur les stratégies de reproduction en vigueur chez les espèces monogames...

Adossée au bureau, elle ferma les yeux pour réfléchir.

De son propre aveu, il ressortait que Kay connaissait depuis toujours les sentiments de Tim à son égard, ce qui, à la réflexion, n'avait rien d'étonnant, quand on connaissait sa nature sensible, perspicace et généreuse...

Reste qu'à l'entendre Tim ne l'avait jamais réellement aimée, sinon d'une affection juvénile et sans conséquence.

Qui croire ? L'opinion de Kay ne comptait pas, seule importait celle de Tim. Susan n'en éprouvait pas moins la fâcheuse impression qu'on venait de lui couper l'herbe sous les pieds.

Mal enfouie, l'angoisse resurgit, sous forme de palpitations, de sueurs froides et de cet affreux goût d'échec qu'elle croyait avoir oublié.

Grâce à Kay, elle était désormais mieux à même de comprendre Tim. Souffrant encore du manque d'affection qui avait marqué son enfance et sa jeunesse, et n'ayant toujours pas trouvé la femme qui ferait son bonheur, il n'en continuait pas moins à la chercher confusément.

Seule une femme douce, aimante, pourrait un jour répondre à cette atteinte et le combler de ce qui lui avait toujours manqué. C'est cette femme qu'il lui fallait même si lui n'en demandait pas tant, ses ambitions dans ce domaine s'avérant très modestes.

Il n'empêche qu'elle ne serait pas, elle, Susan Markham, la future Mme Murphy, son expérience amoureuse l'incitant à la plus extrême circonspection.

Une joyeuse cohorte d'étudiants envahit la salle. Susan surprit une conversation où il était question d'elle et de Tim Murphy...

Les bavards en seraient pour leurs frais, se dit-elle, car

Tim Murphy n'était pas fait pour elle. Et jamais, au grand jamais, elle ne se permettrait de lui donner de faux espoirs ou de le faire souffrir d'aucune manière, quitte à devoir rompre prématurément avec lui.

7.

Susan aligna soigneusement tubes et flacons sur la coiffeuse, tels des soldats de plomb. La mousse hydratante allait rendre encore plus douces ses jambes soigneusement épilées. Le masque facial en argile lui promettait une peau de pêche et un teint de lait... Resserrant les pans de son peignoir en coton, elle lut les instructions portées au dos de la bouteille de lotion capillaire censée donner un éclat incomparable à ses cheveux blonds.

Sortie une demi-heure plus tôt chercher de l'aspirine dans un supermarché ouvert jour et nuit, elle était revenue avec un sac entier rempli de produits de beauté. Entre-temps, en effet, elle avait pris une décision capitale.

Elle ouvrit le tube blanc et s'enduisit copieusement la tête de gelée, dans l'espoir sans doute illusoire qu'un changement d'apparence rejaillirait sur sa personnalité et sur son comportement. Plus belle, peut-être se sentirait-elle aussi plus forte...

Accablée par le remords, elle ne se pardonnait pas d'avoir trompé Tim en gardant le silence sur la nature véritable de ses motivations. Car, en dépit des apparences, ils ne recherchaient pas la même chose, l'un et l'autre. Si donc elle éprouvait une affection sincère pour lui, il était grand temps de clarifier la situation, afin d'éviter de lui donner de faux espoirs et de lui causer par la suite du chagrin. Bref, ça voulait dire : plus de soirées au clair de lune, plus de joyeuses parties de fou-rire, plus de baisers ardents et passionnés... Désormais, elle s'en tiendrait scrupuleusement à des rapports amicaux, dénués de toute ambiguïté.

Forte de ces belles résolutions, elle poursuivit son massage. La pendule indiquait une heure du matin. Ragaillardie ou pas, elle avait en tout cas maintenant les cheveux aussi poisseux et gluants que si elle était tombée dans un baril de confiture... Quant au masque d'argile, il lui donnait carrément l'air d'une momie ou d'un Pierrot enfariné... Enfin, il fallait souffrir, disait-on, pour être belle ! C'est alors qu'elle crut entendre frapper.

Qui pouvait bien avoir l'idée saugrenue de venir la déranger à une heure pareille ? Elle se précipita dans l'entrée et regarda par l'œilleton : personne.

Rassérénée, elle réintégra la salle de bains où elle acheva d'étaler sur son visage la boue grisâtre qui se craquelait en séchant, consciente de ressembler ainsi à un épouvantail à moineaux en attendant le résultat final, pour le moins hasardeux. Car s'il est relativement aisé de changer de visage, on ne triche pas aussi facilement avec ses sentiments... Il lui sembla de nouveau entendre frapper. Elle ouvrit la porte donnant sur le salon et dressa l'oreille : rien. Elle avait rêvé.

Exaspérée, elle posa le pied sur la coiffeuse et pressa rageusement le bouchon du flacon de mousse hydratante.

Non, cette fois, elle n'avait pas la berlue : quelqu'un tambourinait bel et bien à la porte. Quelqu'un qui refusait de se montrer et qui jouait à cache-cache avec elle !

Ou tout simplement quelqu'un qui était passé par derrière et cognait à la porte de sa chambre... Inutilisée habituellement, celle-ci faisait office d'issue de secours et donnait sur un petit escalier plutôt raide, aux marches couvertes de neige.

Quel était le mauvais plaisant qui se permettait de l'interrompre en cet instant crucial de sa métamorphose ? Même Tim Murphy ne l'aurait pas osé... Elle jeta un œil consterné à la glace, puis à ses mains poisseuses et à son peignoir maculé d'argile et de mousse. Maudit soit l'importun ! Elle se passa les doigts sous l'eau et se cacha la tête sous une serviette, tandis que son visiteur insistait de plus belle.

C'était à l'évidence un homme : on devinait en effet sa silhouette derrière la vitre, bien que l'obscurité masquât ses traits. Mais qui ? Un cambrioleur n'aurait pas frappé, et les vendeurs à domicile ne se présentent pas chez vous en plein milieu de la nuit. Conclusion : il ne pouvait s'agir que d'un certain Tim Murphy, le seul d'ailleurs à avoir cette taille gigantesque.

Si seulement il avait attendu quelques heures de plus ! Car de toute façon elle avait besoin de le voir, mais pas avant d'avoir procédé aux modifications nécessaires et trouvé ainsi la force de lui dire qu'elle n'était pas la femme qu'il lui fallait...

Prise par la rouille et gonflée par l'humidité, la porte résista un moment avant de s'ouvrir d'un coup. Misère ! La serviette glissa sur le sol. Tim entra aussitôt, sans lui laisser le temps de recouvrir ses cheveux humides et poisseux. Qu'importe, au fond, puisqu'elle avait déjà l'allure d'une sorcière, défigurée par le masque, la jambe droite enduite de mousse...

— Bonsoir, Suze.

Tiens, il l'avait quand même reconnue ! Un peu vexée qu'il ne fasse aucune allusion à son étrange aspect, elle eut un geste de résignation et soupira :

— Inutile de vous demander ce que vous fabriquez ici à une heure pareille, ni pourquoi vous ne pouvez pas passer par la porte d'entrée comme tout le monde. Laissez-moi juste prendre une douche, et je...

Sa voix se brisa lorsqu'elle vit la rose qu'il tenait à la main.

— Je...

A peine éclose, la fleur dépliait ses fragiles pétales d'un rouge éclatant. Le rouge, sa couleur favorite !

— Je...

Sans un mot, il la lui tendit.

Ses cheveux étaient semés de flocons de neige, et son regard brillait d'émotion contenue... Nullement impressionné par son masque d'argile, il posa sa bouche sur la sienne et murmura :

— Vous êtes si belle, Susan...

Puis il tourna les talons.

Susan eut vite de ses nouvelles, puisque dès le lendemain il vint l'attendre à la sortie de son dernier cours. Il la rejoignit dans l'escalier, comme elle montait à son bureau tout en fouillant dans son sac pour retrouver son carnet d'adresses. Elle pestait contre son incurie, quand soudain elle le vit, et son visage s'éclaira.

Etait-ce la surprise, ou bien la rose d'hier soir ? Si tel était le résultat de son geste chevaleresque, songea Tim, que n'avait-il plus tôt usé de galanterie avec les dames...

Mais il vit presque aussitôt son regard se durcir. Très rouge, et soudain toute déboussolée, elle essaya de cacher son trouble, mais ses mains tremblaient encore lorsqu'ils entrèrent dans son bureau.

— Monsieur Murphy !

Sentant venir l'orage, il prit l'air innocent :

— Oui ?

Elle désigna un carton sur le secrétaire :

— Est-ce vous qui m'avez fait parvenir ceci dans la matinée ?

Il traversa benoîtement la pièce pour aller voir la grosse boîte qui trônait au milieu des livres et des copies. Elle renfermait un somptueux moka au chocolat, nappé de crème Chantilly et piqué de cerises, auquel le pâtissier avait donné, à juste titre, le nom de "Pêché mignon". Il en manquait un bon tiers.

— Avouez, dit-elle en pointant un index accusateur, n'est-ce pas vous qui m'avez fait ce cadeau empoisonné ?

Il baissa la tête.

— Dois-je répondre ?

Il planta un doigt dans le gâteau et le suça.

Plus sereinement elle ajouta :

— J'ai été très touchée par votre geste d'hier soir, Tim.

— Vous avez aussi apprécié le gâteau, à ce que je vois.

— J'en ai mangé deux bouchées ce matin, puis j'ai tout de suite téléphoné à l'antenne locale de Weight Watchers pour vous dénoncer. Je n'ose pas dire ce que l'on fait généralement des saboteurs de votre espèce...

— Un saboteur, moi ?

— Pire ! Mais, trêve de plaisanterie ! Il faut que je vous parle.

La menace se précisait. Tant qu'à encourir les foudres de Susan, mieux valait être confortablement installé. Tim s'assit donc sur la chaise devant le bureau et allongea ses grandes jambes.

— J'ai deux choses à vous dire, reprit-elle, et d'abord ceci...

D'une traite, alors, elle déclara :

— Dans mon esprit, un homme, ça fait la cuisine et ça aime s'occuper des enfants. Tant pis si vous restez prisonnier des stéréotypes habituels sur la virilité et si vous en êtes encore à l'image du cow-boy rude et intrépide. On ne mesure pas la valeur d'un homme à la taille de ses biceps...

D'abord perplexe, il devina vite le motif de cette subite tirade :

— Vous aurait-on par hasard raconté des horreurs sur mon père ? demanda-t-il d'une voix doucereuse.

— Sur votre père ? J'ignore tout de lui, et ça n'a aucun rapport. Il s'agit de vous et de votre personnalité. Je voulais simplement dire que...

— Inutile de répéter, j'ai compris.

Il avait également noté qu'elle mentait avec une effronterie sidérante.

— A mon tour maintenant de prendre la parole, enchaîna-t-il.

— A quel sujet ?

— Votre mise en beauté d'hier soir a porté ses fruits, vous êtes plus ravissante que jamais. Seulement...

Elle eut une mimique bouffonne.

— Quoi ?

— Pourriez-vous m'expliquer ce que vous étiez en train de faire à vos jambes ?

— Je leur passais de la crème.

Il se pencha pour mieux voir.

— Comme on travaille une pâte à gâteau ? En tout cas, le résultat est saisissant.

— Dois-je l'entendre comme un compliment ? Votre sens de l'humour m'échappe parfois.

— Allons, ne faites pas la fine bouche. J'ai cru comprendre que vous l'appréciiez quelquefois.

Il ne croyait pas si bien dire, et c'était précisément ce qui l'inquiétait.

— Pourrions nous enfin parler sérieusement ?

— C'est pour cela que je suis ici : nous avons besoin de prendre le large, tous les deux, et je connais un endroit idéal où passer le week-end : une maison de campagne du côté de Cœur d'Alène, avec une grande cheminée et quatre chambres ce qui ne nous interdit pas, le cas échéant, de partager la même... Cela dit, avez-vous des skis de fond ?

Il se releva, comme elle ouvrait des yeux ronds.

— Holà, pas si vite, Monsieur Murphy ! Pourquoi voudriez-vous que nous "prenions le large", comme vous dites ? L'expression ne me paraît pas vraiment adaptée à notre situation. Nous n'avons rien à cacher et...

— Notre petite escapade de l'autre nuit n'est pas passée inaperçue, et les gens vont jaser s'ils nous voient continuellement ensemble. Nous aurions donc intérêt à nous faire oublier un peu.

— Tous les prétextes vous sont bons, n'est-ce pas ?

— Oui, car j'ai une bonne raison : c'est vous !

Adroitement déviée, la conversation prenait un tour plus intime.

— A quand remontent vos dernières vacances ? Vous avez besoin de vous reposer, Susan. Regardez comme vous étiez nerveuse l'autre nuit, lorsque Harvey Curtis nous a surpris, et comme vous l'êtes encore, malgré la rose d'hier soir.

Après un silence :

— Vous savez pourquoi je vous l'ai donnée ?

— Pour me calmer ?

— Non. Ne devinez-vous pas ?

Susan avoua humblement son ignorance.

— Je n'en ai pas la moindre idée et j'attends avec intérêt vos explications, dit-elle en croisant les bras avec une tranquille impudence.

Etait-elle donc aveugle à ce point ou ne voulait-elle rien voir ?

Foin de discours. Il l'embrassa. Sur ce terrain, au moins, ils n'avaient pas cessé de se comprendre. Alors, pourquoi ?

Diable, jamais il ne cédait à de tels emportements. Non, il fallait Susan pour le contraindre à pareille urgence. Il lui avait offert cette rose comme on offre un diamant ou un manteau de vison, pour la remercier de sa présence et de sa gentillesse, mais aussi en témoignage d'admiration, et en signe d'amour.

C'était là que le bât blessait. Car si elle semblait goûter autant que lui ces tendres et ardentes effusions, elle n'y attachait pas hélas la même signification, et le malentendu allait croissant au fil des jours.

Et pourtant, n'était-ce pas là ce qu'ils souhaitaient tous les deux ? N'avait-il pas le sentiment de répondre à son attente, en savourant avec elle les délices d'un nouveau baiser ? Il suffisait pour s'en convaincre de voir ses beaux yeux noisette se voiler de désir.

— Vos qualités intellectuelles doivent, j'imagine, vous attirer toutes sortes de compliments de la part des hommes. Pour ma part, je suis surtout sensible à votre charme.

— Tim ?

— Oui ?

— Ne me dites pas que vous n'appréciez pas ma conversation.

— Pas autant que votre bouche, ma chère. Vous adorez que l'on vous embrasse, savez-vous ?...

— Taisez-vous ou je vais me fâcher. Pensez-vous rester encore longtemps ?

— Venez-vous avec moi, vendredi ?

— Non. J'ai trop de travail.

— Emportez-le avec vous.
— Votre restaurant n'est-il pas toujours plein pendant le week-end?
— Bah, Sallie sera là pour veiller au grain.
Il se dirigea vers la porte.
— Bien. Je passerai vous chercher vers cinq heures. N'oubliez pas d'emporter des collants!
Il referma doucement la porte derrière lui.
Cela devenait une habitude chez lui. Il prenait la poudre d'escampette à la moindre alerte, soucieux d'éviter toute nouvelle discussion. En l'occurrence, il s'alarmait sans raison. Car si rien n'empêchait Susan de lui dire non, quelque chose pourtant la retenait... A vingt-neuf ans, une femme est en âge de décider pour elle-même. Pourquoi alors cette étrange faiblesse devant Tim ? Elle ne savait rien lui refuser, et toujours il finissait par obtenir gain de cause. Qu'en déduire, sinon qu'elle était amoureuse de lui?
Il lui fallait cependant combattre de toutes ses forces ce penchant déraisonnable, chaque jour plus fort, qui la portait vers lui. Malgré toutes leurs affinités, tout les séparait. Elle ne saurait faire son bonheur, dès lors qu'il restait épris de Kay. Par voie de conséquence, il était exclu qu'elle devienne sa petite amie, cela ne pouvant aboutir qu'à la catastrophe.
De peur toutefois de lui causer du chagrin en lui annonçant sa décision de manière abrupte, elle résolut de l'accompagner à la campagne, où il serait peut-être plus facile de parler et de lui livrer le fond de son cœur.
Car pour rien au monde elle n'aurait voulu lui faire de peine en le renvoyant brutalement à sa solitude. Elle l'aimait trop!

— Une petite villa, disiez-vous...
Cent cinquante kilomètres séparaient Moscow de Cœur d'Alène. Susan connaissait bien la route, pour

l'avoir maintes fois empruntée lors de ses promenades solitaires, laquelle, après avoir traversé des rivières, enjambé des précipices, et serpenté entre des collines, débouchait pour finir sur un lac aux eaux vertes et miroitantes.

Cependant, ce soir là, une pluie diluvienne noyait le paysage. C'était d'ailleurs étonnant, car généralement en cette saison il neigeait dans le nord de l'Idaho. Mais la température s'était brusquement réchauffée, amenant un dégel prématuré.

Réputée pour sa beauté et ses sites grandioses, la région de Cœur d'Alène abritait de nombreuses et magnifiques résidences secondaires, appartenant à des gens fortunés. Il en existait cependant de plus modestes, comme celle de la famille Murphy, apparemment, que Tim lui avait dépeinte comme une petite masure perdue dans la forêt.

Mais il s'était moqué d'elle ! Car en guise de cabane, elle découvrait maintenant avec stupeur un superbe manoir en pierres de taille, de style néo-gothique. Dressé au milieu des pins, l'édifice surplombait un précipice donnant sur une petite crique au bord du lac.

Les murs de l'impressionnante bâtisse étaient percés de fenêtres à meneaux et la grande porte en chêne s'ornait d'un heurtoir de cuivre en forme de lion.

Ainsi s'expliquait son étrange silence tout au long du trajet.

— Vous m'avez aimablement trompée, Monsieur Murphy, dit-elle, comme il sortait leurs bagages du coffre.

Il leva la tête et lui tendit un sac en toile.

— Vous attendiez-vous vraiment à trouver une cabane de trappeur ?

— Pas cela, en tout cas.

— Tant mieux. Je tenais à vous faire la surprise. Mais

ne vous réjouissez pas trop vite : l'intérieur laisse un peu à désirer. Personne ne vient ici depuis plus de dix ans, hormis un retraité qui fait le ménage une fois par semaine.

— Je ne comprends pas. Ne disiez-vous pas qu'il s'agissait d'une propriété de famille ?

— Mon père avait coutume de venir s'y reposer, mais il préfère désormais aller dans son ranch, et il me l'a léguée l'année de mes vingt et un ans. Ne restez donc pas sous la pluie. Entrez, et faites comme chez vous.

Il ouvrit la porte, alluma le vestibule, déposa son chargement, et ressortit sous l'averse.

Susan l'aurait bien suivi pour lui demander des explications, mais elle savait par expérience que cela ne servait à rien, et qu'il demeurerait sans doute évasif... Il n'empêche qu'elle allait de surprise en surprise, et que jamais elle l'aurait imaginé propriétaire d'un véritable petit château...

S'il n'avait pas dit grand chose sur la route, il n'en avait pas moins paru préoccupé, comme s'il ruminait quelque chose, et malgré tous ses efforts pour le dérider, elle n'était pas parvenue à chasser cet air soucieux de son visage.

Frileuse, elle croisa les bras et commença sa visite. Déjà réticente au départ, elle avait eu une certaine appréhension en apercevant cette majestueuse demeure, impression qui tourna franchement au malaise en découvrant l'intérieur. Après avoir traversé le vestibule, on pénétrait dans une immense salle de séjour. Elle alluma et remarqua d'emblée la grande cheminée de granit, puis le plafond voûté, et enfin les meubles, canapé et sièges capitonnés réunis autour d'une table de bridge. En soi, le cadre, bien qu'un peu austère et solennel, ne manquait pas d'élégance, et Susan n'aurait rien trouvé à y redire si Monsieur Murphy père n'y avait imprimé sa marque personnelle...

Celui-ci affichait en effet des goûts et des préoccupations diamétralement opposés à ceux de son fils. D'abord, il aimait boire, à en juger par le bar installé dans un coin et généreusement pourvu d'alcools de toute nature ; ensuite, il aimait chasser.

Au centre de la pièce, était jetée une authentique dépouille d'ours polaire, et des trophées de chasse pendaient aux murs, têtes d'élan, de cerf et de wapiti. Brrr... Pour compléter le tableau, une inquiétante collection d'armes à feu brillait dans un meuble vitré. Chasseur, buveur, coureur de jupons, le père de Tim était décidément un personnage fort peu recommandable...

La maison étant aménagée en duplex, on apercevait du salon la chambre à coucher, de sorte que même de là-haut on ne pouvait échapper à cette cruelle et sinistre exhibition...

La pièce centrale donnait de plain-pied sur la cuisine ; celle-ci faisait également office de salle à manger et comprenait une cheminée de brique équipée d'un gril ainsi qu'une table de réfectoire.

Toujours au rez-de-chaussée se trouvait la salle de bains où une large baignoire encastrée, couleur d'ébène, faisait face à une immense glace murale. Poignées et robinets représentaient des lions de cuivre et une énorme tête d'ours dominait le lavabo.

Elle contempla non sans effroi le féroce animal, qui semblait prêt à bondir, ses babines retroussées sur des crocs formidables, puis elle gagna la cuisine où Tim, déjà, s'activait.

Il venait de vider sur la table un plein carton de victuailles. Priorité oblige chez un pareil gourmand, il n'avait pas encore ôté sa veste. Avec sa bonhomie souriante et ses manières avenantes, il était plus séduisant que jamais. Elle sourit, cachant mal pourtant le malaise que lui inspirait cet endroit bizarre et inquiétant...

Elle voulut lui donner un coup de main, mais il saisit la boîte et la déposa sur une étagère.

— Laissez-moi m'occuper de ça. C'est bien trop lourd pour vous.

— D'accord.

Elle soupira.

— Veniez-vous souvent ici, autrefois?

— Oui et non.

— J'ignorais, dit-elle en plaisantant, que cet endroit paisible de notre cher Idaho abritait un terrible chasseur de fauves, grand buveur devant l'Eternel. Brrr, j'en ai des frissons... En tout cas, ajouta-t-elle, ne comptez pas sur moi pour aller prendre une douche en compagnie de ce monstre!

— Comment, répliqua-t-il avec une mimique amusée, vous n'aimez pas Nounours? Ah, mon papa serait bien triste d'apprendre que son grizzli d'Alaska vous effraie.

— Je serais curieuse de faire sa connaissance — je parle de votre père, bien sûr — un jour où je serai plus calme et en mesure de porter un jugement serein, lâcha-t-elle tout à trac, pour s'en repentir aussitôt.

— Mon père est un homme charmant, qui a toujours beaucoup de succès auprès des dames. Je ne pense pas que vous ferez exception.

— Oh, mais rassurez-vous, je vous promets de rester bien sage et bien polie. Du moins au début.

Détournant prudemment la tête, elle entreprit de garnir le distributeur de serviettes en papier fixé au placard de l'évier. Elle venait de trouver ces serviettes lorsqu'elle sentit soudain une main lui caresser la nuque.

— Susan...

Il lui massa doucement les épaules, glissa un pouce sur son échine...

— Le lac, les bois, la maison, reprit-il, ont un attrait

exceptionnel en hiver, et c'est pourquoi je vous ai invitée ici. Cela n'a rien à voir avec mon père, croyez-moi. Mais enfin, puisqu'il est question de lui, j'ignore ce que l'on vous a dit à son sujet. Sachez cependant qu'il faut toujours se méfier des racontars.

— Je vous écoute.

Toujours le dos tourné, elle acheva sa besogne.

— La réalité n'est jamais toute noire ou toute blanche. Mon père a été très affecté par la mort de sa femme et quelque chose s'est alors brisé en lui. Je ne nierai pas qu'il se soit montré odieux durant toute mon enfance mais c'est désormais de l'histoire ancienne.

— Apparemment non, puisque vous n'habitez pas ici, répliqua-t-elle en osant enfin le regarder.

Il acquiesça.

— Il n'y a pas de risque... Mon père m'a légué cet endroit pour se faire pardonner. Si je m'y étais installé, il en aurait sans doute conclu que l'argent peut tout racheter, même des années d'affront. Néanmoins, quand j'ai constaté qu'il essayait de se rapprocher de moi, je l'ai laissé venir. Nous ne nous voyons guère, certes, mais infiniment plus qu'autrefois. Il est seul, désormais, et il serait mal venu de lui garder rancune alors qu'il est si malheureux... Rentrez vos griffes, Susan. Nous nous sommes réconciliés, lui et moi.

— Il vous a fait du mal.

Tim eut un sourire vague et un peu triste.

— Allons, ma chère, oublions cela, voulez-vous. Croyez-vous donc tellement qu'il ait été heureux?

A quoi elle ne put s'empêcher de rétorquer:

— Vous dites cela parce que vous êtes honnête et que vous avez bon cœur. Avec moi, je vous garantis qu'il ne s'en tirerait pas à si bon compte.

Appuyé à la table, il la couvait d'un regard énigmatique et plein de tendresse.

— Je suis en tout cas flatté de votre sollicitude, bien que ce ne soit pas la raison pour laquelle je vous ai amenée ici. Car il faut que vous sachiez que cette maison représente plus qu'un legs ou des souvenirs de vacances. Mon père a fait fortune dans l'exploitation forestière, et il a été prévu depuis toujours que je devrai prendre sa suite quand il partira à la retraite — dans trois ans environ. Cela dit, je n'entends pas renoncer à mon mode de vie. J'ai plutôt des goûts simples, et j'ai horreur des mondanités. Ce n'est pas un titre de PDG qui y changera quelque chose.

— Vraiment ?

— Vraiment.

— Vous ne porterez pas de chevalière ni de costume trois-pièces ?

— Non.

— Donc, vous fuirez le stress, les ulcères et les déjeuners d'affaires ?

— Absolument.

Déposant les assiettes en carton sur la table, elle se pendit subitement à son cou, en un brusque élan de tendresse qui les surprit l'un comme l'autre.

Les propos de Tim l'avaient ébranlée. Résolue au départ à mettre un frein à ses démonstrations d'affection et à éviter toute familiarité excessive, elle n'en était pas moins touchée par sa largeur d'esprit et sa magnanimité. Visiblement, il lui en avait coûté de lui faire ce double aveu, et il avait l'air, le pauvre, terriblement crispé. Comment demeurer insensible à la confiance qu'il lui faisait et ne pas lui apporter le réconfort qu'il méritait ? Hissée sur la pointe des pieds, elle lui posa un baiser sur les lèvres.

— Comme si j'y accordais la moindre importance ! Cessez donc de vous excuser, dit-elle gravement.

— Désolé, Suze.

Elle l'embrassa de nouveau.

Il plissa le front, les yeux brillants, tout émoustillé par cette tendre agression. Après avoir discuté sérieusement, le temps était venu, songea Susan, de la récréation.

— Vous n'êtes qu'un vilain gourmand, monsieur Murphy, doublé d'un sournois.

— Sournois ?

— Croyez-vous que je n'aie pas remarqué les bouteilles de champagne au réfrigérateur ? Moi qui pensais que nous étions venus faire du ski.

— Il est difficile de skier sous la pluie, fit-il observer en souriant.

Elle le sonda du regard.

— Quand avez-vous décidé de les emporter : avant ou après avoir écouté le bulletin météorologique ?

— Avant. Je les ai achetées exprès mardi après-midi.

— Quelle autre surprise me réservez-vous ?

— Une nuit d'orgie, et demain matin le petit déjeuner au lit puis le champagne servi dans votre bain, et...

Pince-sans-rire, il lui énuméra une longue liste de divertissements coquins et parfaitement irracontables, qui déclenchèrent chez elle une joyeuse hilarité, masquant cependant une sourde appréhension. Et si jamais il décidait de passer aux actes ?

Une brusque poussée d'adrénaline teinta ses joues et fit battre son cœur. La nuit promettait d'être longue... Courage, Susan !

8.

Il la sentit soudain moins sûre d'elle, et il nota son trouble avec un vif plaisir, bien que l'émoi grandissant qui s'emparait de lui ne lui laissât guère le loisir de savourer son effet ; d'autant qu'il lui fallait se mettre à l'œuvre s'il voulait que la soirée se déroule comme prévu.

— Trêve de plaisanterie. Il est temps de songer au repas. Vous devez avoir l'estomac dans les talons. Pourriez-vous préparer la salade ?

— C'est justement l'une de mes spécialités, déclara-t-elle avec empressement.

— Serait-ce trop vous demander de vous occuper aussi de l'assaisonnement ?

— Non, s'il s'agit simplement d'ouvrir une boîte.

— Surtout pas !

Prenant acte de son incompétence en matière culinaire, il lui interdit expressément de toucher à la salade ou à quoi que ce fût, ce qui, bien sûr, lui occasionnait un surcroît de travail. Il y avait tant à faire !

D'abord, il fallait mettre le champagne au frais. Par mesure de précaution, il plaça même carrément les deux bouteilles au congélateur. Après quoi il dut apprêter la volaille et aller chercher du bois dans la réserve.

Non sans mal, il alluma un grand feu dans la cheminée, puis il mouilla savamment de bourgogne le gros oiseau qui rissolait au fond de la casserole, sous l'œil admiratif de Susan, impatiente de goûter à son coq au vin...

Il sala, ajouta du thym, du basilic et du laurier, et il laissa mijoter à feu doux. Dans un récipient voisin cuisait une jardinière de légumes. La pendule indiquait huit heures moins le quart. Il était dans les temps. Jusqu'alors, tout marchait comme sur des roulettes.

La sauce au roquefort une fois versée dans le saladier, il ne restait plus qu'à mettre le couvert. Il alluma donc le lustre suspendu au-dessus de la grande table et se mit à sortir d'un sac qu'il avait apporté, le nécessaire pour dresser la table : service en porcelaine, couverts en argent, chandeliers en cristal et napperons brodés, rouges, évidemment, pour respecter les goûts de Susan.

Celle-ci manifesta sa surprise :

— Que signifie tout ceci ? demanda-t-elle comme il retournait devant ses fourneaux.

Il lui passa tendrement un bras autour d'elle.

— Vous verrez bien.

D'ici là, songea-t-il, touchons du bois. Il avait tout d'abord pensé organiser une soirée sortant de l'ordinaire, de façon à honorer comme il se doit son invitée ; mais le temps comme l'imagination lui faisant défaut, il avait jugé préférable de s'en tenir à la formule traditionnelle du dîner en tête-à-tête, sans doute la mieux à même de traduire ses sentiments.

C'était également, même s'il se garda bien de le lui avouer, la première fois qu'il se mettait ainsi en frais pour une femme. D'où sa fébrilité.

Profitant d'un temps mort, il monta se changer, substituant à son vieux chandail une chemise blanche et une cravate choisies l'autre jour par Susan.

C'est alors que tout bascula... D'abord, il avait acheté des bougies trop fines pour tenir en équilibre dans le chandelier. Malgré tous ses efforts, elles penchaient dangereusement sur le côté, au risque d'enflammer la nappe.

Puis Susan apparut :

— Tim ? Il semblerait qu'il y ait un mauvais tirage.

Doux euphémisme, car le salon était noyé sous un nuage de fumée âcre et noire, la cheminée n'ayant pas, à l'évidence, été ramonée depuis des années....

Il n'était pas au bout de ses peines. Le coq au vin s'était complètement carbonisé dans la casserole, et la jardinière de légumes attachait au fond du récipient.

— Ne vous en faites pas. J'adore quand c'est bien cuit, dit-elle, comme il se désolait à voix haute.

Les bougies penchaient dangereusement dans leur chandelier, sa chemise était froissée et tachée de suie... Tout allait de mal en pis, et cette soirée dont il espérait tant tournait à la catastrophe. Il ne croyait pas si bien dire. N'avait-il pas oublié le champagne au congélateur ? Ce qui devait arriver arriva : le liquide, devenu solide, s'était dilaté et avait fait éclater le verre de la bouteille.

Au bout du compte, ils dînèrent d'un poulet brûlé, accompagné de légumes insipides et réduits en bouillie, le tout arrosé de Coca Cola... L'ambiance était lugubre et Tim furieux contre lui-même. C'est à peine s'il dit deux phrases au cours du repas. Susan pourtant vida consciencieusement son assiette. Elle poussa même le vice jusqu'à en redemander. Il l'aurait giflée !

Excédé, il tint ensuite à faire seul la vaisselle, histoire de se calmer. C'était sans compter avec le temps. La tempête redoublait de violence et un véritable déluge de neige fondue balayait les ténèbres, réduisant à néant ses derniers projets de week-end. Finie, la randonnée à ski qu'il projetait d'effectuer le lendemain avec Susan dans la campagne avoisinante... Effondré, il contempla par la fenêtre le désastre.

Comme si cela ne suffisait pas, les plombs sautèrent ! La maison se retrouva plongée dans le noir. Les bras lui en tombèrent. Il avait envie de hurler.

— Ne vous inquiétez pas, je vais rétablir le courant. Je ne sais peut-être pas faire la cuisine, mais je suis quand même capable de changer des plombs, déclara Susan, venue à la rescousse.

Il n'eut même pas l'occasion de lui prouver ses talents de bricoleur, car déjà, elle avait ouvert le boîtier. Résigné, il la laissa achever la réparation. La lumière revint.

— Bien, après toutes ces émotions, que diriez-vous de prendre un digestif devant la cheminée ? J'ai vu qu'il y avait du cognac au-dessus du bar, enchaîna-t-elle gaiement.

— D'accord, soupira-t-il.

Elle sirota tranquillement, par petits coups, son verre d'alcool comme il se doit d'une vraie lady. Lui, au contraire, avait vidé d'un trait son verre, cul-sec, comme s'il s'agissait d'un médicament.

Lorsqu'elle partit laver les verres à la cuisine, il s'effondra sur la pelisse d'ours blanc. A son retour, il n'osa pas la regarder, mais il garda les yeux clos.

Le repas, en soi, ne prêtait pas à conséquence. Susan, d'ailleurs, ne s'était pas formalisée de cette série d'incidents : sa bonne humeur restée intacte, elle avait meublé la conversation et tenté, sans grand succès, de le dérider. Mais Tim avait honte. Si le ridicule ne tue pas, il suffit néanmoins à vous faire perdre l'estime d'une femme et à vous ôter toute chance auprès d'elle. De ce point de vue, la soirée était irrémédiablement gâchée. Il avait pensé la séduire en organisant un souper aux chandelles. Eh bien, c'était réussi ! En guise de beau ténébreux à la voix de velours et au regard de braise, il avait donné l'image d'un grand nigaud, maladroit, empoté et grognon...

Sa gaucherie ne l'avait jusqu'à présent point trop desservi auprès des dames, sensibles à son physique impressionnant et à ses qualités de cœur. Susan risquait toutefois de faire exception. Il en savait déjà suffisamment sur elle pour imaginer sa déception. Orpheline, placée dès son plus jeune âge dans des familles d'accueil, elle avait toujours manqué d'affection, raison pour laquelle elle avait ensuite placé tant d'espoir dans sa liaison avec le dénommé Karn, cet individu lamentable qui s'était indûment servi d'elle pour oublier son épouse prématurément disparue. A force de courage et de volonté, elle avait surmonté ce handicap, et elle s'était brillamment hissée au rang de professeur d'Université. Bien que couronnés de succès, ses efforts ne lui avaient cependant pas assuré le bonheur, car de nouveau elle était seule, sans personne pour la choyer ni la dorloter... La vie n'est jamais facile, certes, mais elle s'était montrée particulièrement ingrate envers elle.

Par contraste, son propre abattement lui faisait horreur. Quoi, après l'avoir suppliée de l'accompagner ici, il ne trouvait pas mieux à lui offrir que cet affligeant spectacle d'un être faible et pusillanime, découragé pour un rien et présentement vautré sur le tapis !

Une battante et un vaincu. Le joli couple qu'ils formaient là !

Il l'entendit s'approcher et entrouvrit les paupières. Ô stupeur ! Le cognac lui aurait-il par hasard monté à la tête ? Non, il ne rêvait pas...

— Que faites-vous ?

— Vous le voyez bien, j'enlève mon pull. Il fait chaud devant la cheminée...

Dans la pénombre de la pièce, juste éclairée par le feu qui ronflait dans l'âtre — ils avaient éteint la lumière après avoir changé le fusible — Susan avait entrepris de se mettre à l'aise.

— Suze ?

— Oui ?

— Vous ne portez rien en dessous…

Elle sourit candidement.

— Non. Mon Dieu, on étouffe ici !

Femme émancipée, d'un naturel fantasque et volontiers provocateur, il ne lui connaissait cependant pas tant de hardiesse…

L'atmosphère devint subitement torride. Susan avait une peau de lait et des petits seins adorables, fermes et bien dessinés, piqués de deux taches de chocolat, un régal !

Elle enleva ses Socquettes puis elle s'agenouilla pour baisser la fermeture-Éclair de son jean. Toujours en souriant, elle ôta ce dernier.

De ses habits, elle avait recouvert successivement toutes les têtes empaillées accrochées aux murs. L'élan hérita de son pantalon, et le wapiti de ses chaussettes. Quant au cerf, elle lui voila — impudiquement, et ô combien délicieusement ! — la face avec son dernier sous-vêtement. Afin de ne pas être en reste, elle suspendit pour finir son pull aux bois de l'animal.

Tim n'en croyait pas ses yeux. Son sang ne fit qu'un tour lorsqu'elle s'approcha enfin, ravissante et nue, telle une nymphe au sortir du bain…

— Suze ?

— Mmm ?…

— Comprenez mon étonnement, même si je suis ravi. Car enfin, le champagne a gelé, le coq au vin était du caramel, les bougies…

— Un vrai désastre, je sais…

— Je voudrais être sûr que vous savez ce que vous faites.

— Je suis parfaitement lucide, murmura-t-elle.

— Si je m'étais douté que cela produirait un tel effet sur vous, il y a longtemps que je vous aurais fait manger du poulet brûlé à tous les repas!...

— Chuuut... Vous parlez trop. Vous n'allez pas vous mettre à faire comme moi quand je suis nerveuse...

— Je... je ne saisis pas très bien où vous voulez en venir.

— Vraiment? Eh bien, pour l'instant, je vous mordille l'oreille, je vous embrasse dans le cou, et si j'en juge par vos réactions, ça n'a pas l'air de vous déplaire.

Elle releva la tête:

— Nous pourrions peut-être aller poursuivre cela ailleurs?

Il émit un petit son guttural, dénué de toute équivoque. Ragaillardie, Susan entreprit de lui dénouer sa cravate, puis elle s'attaqua à sa chemise. Un à un, elle fit glisser les boutons. Immobile, il retenait son souffle craignant que ne se dissipe la magie de l'instant.

Elle n'avait certes pas coutume de montrer tant d'audace, mais la passion qu'elle lut alors dans ses yeux balaya ses dernières hésitations. A son tour, il l'attira vers lui, plein de fièvre, quoique redoutant encore un revirement de dernière minute. Ses craintes se dissipèrent lorsqu'elle fit glisser sa bouche sur ses épaules robustes, remontant ensuite vers son cou, sa pomme d'Adam...

Son souffle s'accéléra, en se mariant au sien. La pluie tambourinait sur les carreaux, et le feu dans l'âtre projetait des ombres fantastiques.

Passif, il la laissait poursuivre ses tendres explorations, et attiser ainsi la flamme qui les consumait. Mais il tressaillit soudain en sentant une main remonter sur sa cuisse et, n'y tenant plus, il la plaqua violemment contre lui.

Les oreilles bourdonnantes, consciente de commettre une erreur à la fois délicieuse et parfaitement nécessaire, Susan goûta avidement le baiser brûlant et passionné qu'il lui imposait à son tour.

Elle ne doutait plus de sa bonne foi ni des sentiments qui l'animaient. Pour elle, il s'était mis en frais ; à la seule fin de lui plaire, il avait organisé ce dîner aux chandelles, et le voilà maintenant qui se désolait des menus incidents qui avaient émaillé la soirée — comme si elle y attachait la moindre importance ! Sa déception était à la mesure de l'espoir qu'il avait placé dans ce tendre et pudique tête-à-tête. Munie de tels gages de sincérité, comment dès lors rester insensible à son chagrin ? Pourquoi vouloir retarder le moment inéluctable où ils s'avoueraient l'un à l'autre leur passion ? La nuit leur appartenait, sans honte ni fausse pudeur. Ses caresses s'enhardirent, ses baisers se firent plus pressants...

Son zèle l'effraya, mais elle se fit une douce violence en écoutant enfin son cœur et non plus sa raison. Qu'importe, songea-t-elle, oui, qu'importe le nom qui désormais s'échapperait de ses lèvres au plus fort de leurs étreintes. Car elle l'aimait. Elle voulait le lui dire, le lui crier, lui démontrer par des actes l'étendue de sa passion, quitte à le regretter ensuite pour le restant de ses jours. L'amour était à ce prix et il fallait savoir sauter le pas. Puisqu'il semblait étouffer des scrupules, c'était à elle de prendre l'initiative...

Aussitôt il se redressa, et lui emprisonnant les bras doucement, il l'allongea sur le tapis.

— Nous le voulons tous les deux, n'est-ce pas ?

— Je ne comprends pas...

— Vous vous précipitez sur moi avec un tel élan que

j'en reste tout ébloui. Vous êtes merveilleuse, ma chérie... tu es exquise, peut-être encore plus lorsque tu trembles de nervosité...

— Je ne suis pas nerveuse...

— Tant mieux, chuchota-t-il, car je ne saurais dès lors résister plus longtemps...

Leurs bouches se happèrent. Tel un naufragé du désert étanchant sa soif au puits d'une oasis, il but à longs traits à la coupe de ses lèvres, en un baiser fougueux et impudique qu'elle lui rendit avec une affolante avidité. Il sema ensuite une pluie de petits baisers mordants sur son front, sur sa joue, et au pli de son cou, comme elle l'étreignait, fébrile, impatiente, offerte à son adoration...

Sa bouche, sa langue, honorèrent délicieusement les trésors de sa gorge, deux petits seins de nacre fleuris d'un bouton de rose...

Susan ! Le monde venait de basculer, de prendre une autre dimension. Pour Tim ne comptait plus désormais que le désir fou qu'il avait de la faire sienne et qui, plus encore que la recherche de son propre plaisir, lui inspirait mille caresses propres à ravir d'extase l'objet de son amour. A quoi bon, dès lors, vouloir jouer les héros et déplorer la piètre image qu'il croyait, par vanité blessée, avoir donné de lui même ? Lui seul jouissait du privilège incomparable d'aimer Susan, Susan qui, lasse de ses tergiversations, s'offrait enfin à lui, Susan, dont il sentait aussi combien elle redoutait les conséquences de ses actes...

Mais sa patience était désormais récompensée. Avant la fin de la nuit, ils n'auraient plus de secrets l'un pour l'autre.

Le feu ronflait dans l'âtre ; une bûche s'effondra. Nue dans la fourrure, les yeux à demi clos, Susan s'éveillait au plaisir sous l'effet de ses caresses expertes. Avide, suppliante, elle frotta son corps voluptueux contre le sien, encore vêtu.

Il s'écarta ; instinctivement, elle le retint. Doucement, il la repoussa pour se déshabiller à son tour. Mais déjà il était là de nouveau, la dévorant des yeux. Doucement, il la renversa sur le sol :

— Nous allons nous aimer, Susan, maintenant. Dis-moi que tu le veux, dis-le moi !

— Oui, je le veux...

Elle s'arrima à lui comme il soudait leurs deux corps. Souffles mêlés, leurs cœurs battant au même rythme, ils se donnèrent l'un à l'autre avec un plaisir sauvage. Emportés dans un tourbillon frénétique, ils goûtèrent mille délices, et Susan, encore, et encore parvint au sommet de l'extase...

Encore alanguie entre ses bras, un peu plus tard, elle taquina sa bouche

— Quand vas-tu cesser de me regarder comme ça ?

— Hmm ?

— Il est deux heures du matin, et plus que temps d'aller au lit. Et puis, tu auras encore l'occasion de me voir. Debout ! Sinon, je sais comment cela risque encore de se terminer...

Il se tourna sur le côté.

— Bon, alors parlons. De toi, par exemple, et de ça pour commencer...

Il taquina une partie ravissante et charnue de son anatomie.

— T'a-t-on déjà fait un suçon ici ?

— Tim ! N'as-tu pas honte ? riposta-t-elle en prenant l'air effarouchée.

Elle se leva.

— Au fond, tout ce qu'il te faut, c'est quelque chose à te mettre sous la dent. Je suis sûre que tu meurs de faim, ne dis pas le contraire.

Il dévora allègrement trois tranches de rôti sur du pain de seigle, quatre muffins à la confiture de myrtilles, deux pommes, des chips, le tout en buvant du café et de la bière, et sans cesser non plus de grapiller d'autres friandises — hum…

Mélancolique, Susan songea au temps qui passe et à l'amour qui s'enfuit, à ce bonheur éphémère et à peine entrevu, à ces instants fugaces de plénitude et de parfaite complicité… Une nuit d'amour ne porte pas à conséquence. Elle avait agi tout à l'heure en pleine connaissance de cause, sans se faire d'illusion ni donner à son geste plus de signification qu'il n'en avait vraiment.

Raison de plus pour ne pas bouder son plaisir. Tim, d'ailleurs, ne l'aurait pas permis, qui ne cessait d'avoir de nouvelles exigences. L'attirant de nouveau contre lui, il la caressa longuement de ses yeux, de ses mains, de sa bouche jusqu'à ce que disparaissent entre eux les dernières barrières, jusqu'à ce que, la sentant enfin totalement abandonnée, il consentît à répondre à la plus tendre de ses supplications.

— N'as-tu vraiment aucun respect pour moi et pour ma personne? gloussa-t-elle.

— Aucun… murmura-t-il en baisant sa peau souple et parfumée.

Blottie entre ses bras, savourant tout en la repoussant l'illusion du bonheur, Susan le regarda. Elle avait eu le temps maintenant d'apprécier la richesse de sa personnalité. C'était d'abord sa gaieté et son humour qui l'avaient séduite. Foncièrement honnête, la franchise rimait chez lui avec la gentillesse, et la générosité avec le tact et la discrétion. Mais il ne fallait pas se méprendre: sa bonhomie souriante et son naturel débonnaire cachaient une profonde détermination et un cœur fier. Ainsi n'avait-il pas voulu, dans sa jeunesse, suivre immédiatement les traces de son père, préférant s'assumer d'abord en toute indépendance pour se prouver sa valeur. Il ferait sans doute un excellent chef d'entreprise, brillant et efficace ainsi qu'un père de famille idéal, entouré d'une ribambelle d'enfants.

Son regard se voila. Tim s'en aperçut et la serra tendrement dans ses bras.

— Je parlais sérieusement, Susan.

— Je ne me souviens plus de ce que tu m'as dit, voulais-tu que nous allions dormir ?

— Pas du tout, ma chérie. Je disais que je t'aime.

Il la sentit brusquement sur la défensive.

— Tu ne me crois pas ?

— Si... Je vois bien que tu es heureux ; mais de là à conclure que...

— Je ne l'ai encore jamais dit à personne ; pas même à Kay...

Il glissa un genou entre les siens et une main au creux de ses reins.

— Le moment est sans doute mal choisi de parler de Kay, mais il est temps de mettre les choses au point une fois pour toutes ; d'accord ?

Elle lui caressa la joue ; il embrassa ses doigts un à un, puis la paume de sa main.

— Il est certain, reprit-il, qu'à une époque j'ai éprouvé un petit faible pour Kay, sans jamais pourtant lui en parler. J'ai essuyé trop de déceptions dans ma jeunesse pour ne pas devenir méfiant. En gardant le silence, je me mettais à l'abri d'une nouvelle déconvenue...

— Tim ?

Il vit son désarroi, et il baissa la voix :

— Ce n'était pas l'amour de ma vie, Susan, voilà tout. J'éprouvais pour Kay une grande amitié et une affection sincère, qui me suffisaient amplement jusqu'à ce que je te rencontre...

Une bûche s'effondra dans l'âtre. Tim pressa Susan tout contre lui :

— Si j'en avais été vraiment amoureux, je n'aurais pas si vite renoncé à elle, fais-moi confiance. Mais ce que je ressentais pour elle n'avait rien d'équivalent avec ce que j'éprouve à l'heure actuelle pour toi.

Il chassa une mèche sur sa joue et secoua la tête :

— Tu as peur, ma chérie... C'est normal, j'ai bien trop tardé à m'expliquer. Dorénavant, plus rien ne nous séparera, je te le jure...

9.

Il était encore très tôt lorsque Susan s'éveilla. Un soleil pâle pointait à la lucarne. Elle se frotta les paupières et regarda autour d'elle, sans réaliser immédiatement où elle se trouvait. Puis les souvenirs lui revinrent et elle s'étira, heureuse.

Il ne faisait pas chaud dans la pièce. Mais tapie sous la couette au milieu des oreillers, elle reposait douillettement dans le grand lit en acajou, et tout aurait été pour le mieux si Tim n'avait bizarrement disparu...

Une douce langueur succédait à l'ivresse de la nuit, au cours de laquelle la magie de l'amour semblait avoir fait basculer leur destin à tous les deux.

Traumatisée par son échec avec Karn, Susan se croyait auparavant incapable de répondre à l'attente d'un homme et de partager avec lui le bonheur d'aimer. Avec une ardeur infatigable, au milieu des transports les plus doux et les plus exaltés, Tim l'impétueux s'était empressé de balayer ses craintes et de réparer sa méprise. Mmm... Recroquevillée au fond du lit, elle ferma les yeux, comme pour revenir quelques heures en arrière et savourer tout à loisir cette merveilleuse découverte.

Loin donc de regretter ce qui venait de se passer, elle était aux anges et voyait l'avenir en rose, pour avoir découvert avec ravissement Tim sous son vrai visage. En l'espace de quelques heures, il s'était révélé tel qu'en lui-même, le compagnon idéal, l'être le plus délicieux et le plus exquis qu'il soit possible d'imaginer, amoureux, ardent, sensible et délicat...

Une nuit de passion avait permis d'exorciser les fantômes qui les tourmentaient. Karn, désormais, n'était plus pour elle qu'un mauvais souvenir ; quant à Kay, elle avait, semble-t-il, enfin cessé de le hanter...

Mieux encore, il lui avait dit qu'il l'aimait.

Pourquoi ne lui avait-elle pas répondu? Restée muette devant ce tendre aveu, elle brûlait désormais de réparer cette impardonnable négligence.

— Comment, tu n'es pas encore levée? Tu n'as tout de même pas l'intention de passer la journée au lit! lança-t-il gaiement, venant interrompre ses méditations.

Tout fringant, lavé et rasé de près, il s'approcha en souriant. Taquin, il retira la couette.

Elle protesta.

— Non, je t'en prie!... Quelle heure est-il?

— Sept heures du matin.

Elle se blottit sous le drap.

— Nous n'avons presque pas dormi.

— Je sais. Mais que veux-tu, mon horloge interne est ainsi réglée que je me réveille tous les jours à l'aube. J'ai bien essayé de rester couché, mais ce n'était pas possible. Dès que j'ai les yeux ouverts, il faut que je me lève.

S'emparant alors du drap, il dévoila avec un plaisir évident les grâces qui, plus tôt, avaient fait l'objet de son adoration.

— Il ne fait pas chaud, observa-t-il, en dominant son émotion.

— Viens, commanda-t-elle.

— Non.
— Pourquoi ?
— Parce que si je m'approche, je sais très bien comment cela va se terminer et tu vas encore me reprocher de ne pas savoir refréner mes désirs. Aussi, je ne bougerai pas tant que tu ne seras pas habillée. Dépêche-toi, je voudrais te montrer quelque chose...
— J'espère que ça en vaut la peine, sinon...
— Sinon ?
— Sinon, je te chatouille jusqu'à ce que mort s'ensuive, gloussa-t-elle.
— Essaie un peu !
Cinq minutes plus tard, après avoir fait un brin de toilette et enfilé un jean, un chemisier et un pull, elle sortit avec lui par la porte de derrière.
Le froid vif acheva de la réveiller. La température avait brutalement chuté au cours de la nuit et la campagne endormie scintillait sous le givre. Empruntant le petit vallon planté d'arbres, ils descendirent vers le lac.
Semés de paillettes étincelantes, pins, sapins et mélèzes ployaient sous de lourdes guirlandes blanches resplendissant dans les premiers rayons rosés du soleil.
— Vois-tu pourquoi je ne voulais pas attendre ?
— En effet.
Cette vision féerique, appelée à s'évanouir dans le courant de la journée, fit naître en elle une étrange mélancolie. Elle songea à la précarité des choses de ce monde, à l'amour, éphémère et fragile comme un bouton de rose, au bonheur qui fond comme neige au soleil...
Tim lui prit la main.
— Il y a plein de colibris et de mésanges en été, et le lac regorge de poissons.
Ils quittèrent les hautes futaies et atteignirent bientôt la rive baignée de soleil.

Réputé comme l'un des plus beaux de tout le nord-ouest des Etats-Unis, le lac de Cœur d'Alène était surtout connu pour les régates qui s'y donnaient l'été. Mais c'était dans les splendeurs de l'automne que Susan avait découvert la magie de ce lieu, alors que les grands trains d'arbres suivaient la rivière jusqu'aux scieries en aval. Et voilà qu'aujourd'hui encore, il se nimbait pour elle d'un éclat tout particulier.

Vierge de toute trace de présence humaine, hormis le petit sentier qui serpentait au milieu des pierres, la crique attenante à la propriété des Murphy offrait un exemple saisissant de la nature dans sa pureté originelle. Là, au pied des collines bleutées, dans l'échancrure du rivage, on découvrait la blancheur d'une petite plage où venait mourir par instants le frémissement d'une vaguelette.

Le silence était total et le temps immobile. Le paysage tout entier semblait comme enfermé dans une gangue de cristal.

— Alors, qu'en dis-tu?

— C'est superbe. Venais-tu souvent nager ici, autrefois?

— De temps en temps, quand je ne craignais pas d'attraper une pneumonie. Car, même en été, l'eau est glacée.

— Passais-tu toutes tes vacances ici?

— Oui. Et de merveilleuses vacances! Entre l'escalade, les promenades en forêt, l'élevage des ratons-laveurs — j'ai même un jour été mordu par un opossum, ce qui m'a valu une série de piqûres contre la rage — je n'avais pas le temps de m'ennuyer. Je construisais également des cages pour les animaux que j'attrapais, même si je me dépêchais ensuite de leur rendre la liberté...

Après un silence:

— As-tu faim?

— Non, répondit-elle d'un pieux mensonge, tant elle était soucieuse de ne pas rompre le charme.

Il haussa les épaules :

— Je travaillais aussi pour mon père. C'est ainsi que j'ai appris à manier la hache, la tronçonneuse, à conduire les engins de levage, et même les semi-remorques, ce qui n'allait pas toujours sans mal.

— Pourquoi ? Est-ce dangereux ?

— Non, sauf si les freins lâchent brutalement dans une descente, ce qui m'est arrivé une fois avec un camion surchargé.

— J'ignore comment tu t'en es tiré, mais moi, je sais ce que j'aurais fait.

— Quoi donc ?

— Ma prière.

Ils s'esclaffèrent. Susan était partagée entre l'indignation face à un père indigne capable de jouer ainsi avec la vie de son fils, et l'admiration devant le courage et la modestie de Tim.

Sautant du rocher où il se tenait, il s'approcha d'elle pour quémander un baiser. Le froid colorait de rose le bout de son petit nez en trompette, et ses yeux brillaient ce matin-là d'un éclat tout particulier...

Dressée sur la pointe des pieds, elle se laissa embrasser avec une docilité et un mutisme déconcertants. Dieu sait qu'elle ne l'avait pas habitué à tant de soumission.

Sa déclaration d'amour, murmurée sur l'oreiller, n'avait suscité chez elle d'autre réponse qu'un surcroît d'exaltation et le redoublement de son ardeur. Mais de ses sentiments pour lui, il ne savait toujours rien.

Il lui annonça son intention de préparer le petit-déjeuner. Elle se récria :

— Certainement pas. Je n'ai sans doute pas tes talents de cordon bleu, mais tu passes ta vie à nourrir les gens, et tu mérites bien de te faire servir à ton tour.

Elle s'activa donc devant les fourneaux dès leur retour à la maison. Comme de bien entendu, les crêpes brûlèrent, et Susan dut se rabattre sur le Müesli :

— C'est à cause de ta cuisinière. Elle est mal réglée, marmonna-t-elle en guise d'excuse.

— Allons donc, jusqu'alors je n'ai jamais eu à m'en plaindre ! Pauvre petite Susan, ajouta-t-il, moqueur, je vois que la cuisine n'est pas ton fort ! Mais cela viendra, cela viendra. Et je peux, moi aussi, être un bon professeur. Sais-tu que ça peut-être un vrai plaisir ?

Pour preuve, il fit ensuite la vaisselle en chantant à tue-tête non sans cesser de s'interrompre à tout moment pour lui voler un baiser.

— Voilà bien les hommes : tyranniques, voraces, insatiables... le taquina Susan.

— Ce n'est pas de ma faute et je crois que cela va être pire encore si tu continues à me provoquer. Attends seulement que j'aie fini la vaisselle !

Il lui mordilla amoureusement le lobe de l'oreille tandis qu'elle risquait, pour se venger, une insidieuse caresse, tout à fait indigne d'une jeune et brillante anthropologue. Mais qui s'en serait plaint ? Certainement pas Tim...

— Deux possibilités s'offrent à nous : soit prendre une bonne douche et essayer de dormir un peu, soit aller en ville et — tiens-toi bien — faire du lèche-vitrines et des courses.

— J'ai mieux à te proposer.

— Moi aussi.

— Non, je ne parle pas de ça. Vraiment, tu es incorrigible !...

Pesant ses mots, elle ajouta :

— J'ai bien noté ce que tu m'avais dit de ton père et des raisons qui t'ont fait renoncer à venir t'installer ici. Il n'empêche que cet endroit pourrait être charmant, moyennant quelques transformations...

— Tu n'avais pourtant pas l'air enchantée, hier soir.

— Parce que je croyais que cela ne représentait que des mauvais souvenirs pour toi.

Il secoua la tête.

— Les mauvais souvenirs restent gravés, comme les autres, dans la mémoire.

— Il doit pourtant y avoir moyen de s'en débarrasser.

— A quoi pensais-tu, tout à l'heure?

Il ne tarda pas à être fixé. Susan ne songeait ni plus ni moins qu'à réaménager la maison de fond en comble. En l'espace de quatre heures, elle nettoya les placards, changea la disposition des meubles, remplaça le bar amovible par un vieux coffre trouvé dans le garage, et elle fit surtout disparaître ces affreuses têtes d'animaux empaillées qui lui donnaient des cauchemars...

— Est-ce ton instinct de femme d'intérieur qui te pousse à agir ainsi? railla Tim.

— Où y a-t-il une échelle? Dis donc, ton homme d'entretien n'a pas dû passer souvent le plumeau sur le plafond! Regarde-moi cette toile d'araignée...

Elle chercha son regard. Ecartant une mèche de son front, elle enchaîna:

— Tu vas voir, d'ici peu la maison va être superbe.

Tim, pour l'heure, se souciait comme d'une guigne de son cadre de vie, Susan seule focalisant tout son intérêt. Susan, qui déployait un zèle infatigable pour nettoyer la cuisine, Susan, un seau à la main, Susan qui redescendait en hurlant de son escabeau parce qu'une araignée lui était tombée dans les cheveux, Susan, si fragile et si forte et en même temps si désirable!

Elle avait en matière de décoration intérieure des goûts analogues aux siens hormis, bien sûr, son irrésistible penchant pour le rose...

— Tout de même, observa-t-il en ressortant de la

salle de bains, l'énorme tête de grizzli entre les bras, es-tu bien sûre que nos enfants n'aimeraient pas se laver les dents en compagnie de Nounours?

Silence.

Plus tard, comme ils déjeunaient sur le pouce d'un sandwich et d'un verre de cidre, il remarqua:

— Je me doute bien qu'il s'agit pour toi de me tester avant le mariage. Il ne te suffit donc pas de savoir que je t'aime. Tu veux aussi un homme costaud et prêt à t'obéir aveuglément...

Si la dernière partie de la phrase la fit sourire, l'allusion au mariage ne lui inspira en revanche aucune réaction.

— Je trouve ce noir et ce blanc un peu agressifs. De quelle couleur aimerais-tu voir la pièce? demanda-t-il alors qu'il réparait une fuite à l'un des robinets de la salle de bains.

— A quoi te sert d'avoir toutes ces clés, si tu ne les utilises jamais ? marmonna-t-elle en lui tendant les outils.

Tout au long de la journée, Tim multiplia ainsi les allusions, qu'elle feignait systématiquement d'ignorer. Le soir même, la maison, et particulièrement le grand salon, étaient devenus méconnaissables. Une fois les rideaux tirés, les armes à feu et autres trophées relégués au grenier, la salle était infiniment plus accueillante. Par ailleurs, les meubles, auparavant disséminés à travers la pièce ou poussés contre les murs, étaient désormais rassemblés devant la cheminée, où Tim aimait s'asseoir.

Susan n'avait songé qu'à lui en procédant à ces petites modifications, cherchant à lui composer un cadre intime et reposant dans lequel il se sente à l'aise, à l'exclusion de toute autre considération. Et si l'idée d'habiter ici avec lui l'effleura un instant, elle la chassa bien vite.

Le repas terminé, ils allèrent s'allonger tous les deux

devant la cheminée, Susan s'appliquant, par un consciencieux massage, à soulager Tim des douleurs qu'il exagérait à plaisir. Malicieusement, elle accentua la pression de ses mains sur son dos. Tim protesta en gémissant :

— Je croyais que le but d'un massage était de détendre les muscles, et non de les tourmenter.

— Tu devrais plutôt me remercier de ne pas bâcler mon travail.

— Pas si tu confonds massage et torture !

Susan sourit, lui glissa un petit baiser sur la nuque, mais n'en continua pas moins avec la même application. Après une journée passée à faire de la manutention, Tim, malgré son physique d'athlète et la pratique régulière du tennis, était rempli de courbatures. Comme c'était elle qui avait eu l'idée de tout ce remue-ménage, il lui appartenait tout naturellement de soulager le malheureux. Ce qui n'était pas pour lui déplaire même si l'entreprise était quelque peu risquée.

Hormis la fourrure d'ours blanc sur laquelle Tim était étendu à plat ventre, elle avait chassé toutes les autres dépouilles de la maison, non pas tant, d'ailleurs, par aversion caractérisée pour ces trophées de chasse, finalement assez communs, que par souci d'éviter à Tim tout ce qui lui rappelait trop expressément son père et ses malheurs d'antan. Il va de soi qu'après ce dont il avait été témoin la veille au soir, l'ours polaire jouissait d'un traitement de faveur...

Elastique et mate, la peau de Tim tranchait avec la fourrure rêche et laiteuse. Les reins ceints d'une serviette-éponge, il avait comme elle les cheveux mouillés, au sortir de la douche. Agenouillée près de lui, toute menue dans l'immense T-shirt de Tim qui lui tombait aux genoux, Susan avait cessé de sourire, luttant avec la même énergie contre l'amour qu'elle ressentait pour lui et l'angoisse qui de nouveau l'assaillait.

Consciente qu'elle touchait peut-être pour la dernière fois l'homme qu'elle adorait, elle n'en continuait pas moins inlassablement son massage comme pour retarder encore l'instant fatidique où elle devrait lui apprendre sa décision.

Depuis le matin, il n'avait cessé de faire allusion à leur mariage et à leurs enfants, ce qui tout à la fois la remplissait de joie et lui causait une peine infinie... L'heure était venue de mettre un point d'orgue à leur liaison, et Susan voyait avec horreur se rapprocher le moment de lui annoncer la terrible nouvelle. Sa gorge se noua, ses yeux s'embuèrent...

Cela faisait des lustres qu'elle n'avait pas pleuré, et elle n'avait pas du tout l'intention de fondre en larmes devant lui. Appliquant de la crème sur ses doigts, elle poursuivit donc, imperturbable.

— En tout cas, plaisanta-t-elle, si j'ai jamais besoin de te faire taire, je sais maintenant comment m'y prendre : une bonne friction dans le dos, et j'ai le calme absolu.

— Fais-moi grâce de tes remarques. Tu profites de la situation, gémit-il.

— A notre retour, demain, tout doit rentrer dans l'ordre et recommencer comme avant, glissa-t-elle en passant.

Inquiet, il se redressa.

— Que veux-tu dire, Susan?

— Nous sommes amis, Tim, reprit-elle d'une voix douce, rien de plus ; quand bien même nous avons passé la nuit ensemble...

— Justement, ma chérie, cela change tout. Tu le sais très bien.

Il se retourna et s'assit.

Susan se prépara à une pénible et douloureuse explication. Crispé, le visage rongé d'angoisse, il la dévisagea fiévreusement :

— D'ici trente secondes, je vais te montrer qu'il existe bien plus que de l'amitié entre nous…

— Tu parles là de notre harmonie sex…

— Evidemment ; mais aussi des enfants que nous ferons ensemble et de l'envie que j'ai de vieillir avec toi.

Il la sonda du regard.

— Nous avons déjà parlé de Kay et mis les choses au point…

— Oui, et je te crois quand tu affirmes ne plus penser à elle mais à moi.

Elle marqua une pause et reprit, avec un sourire résigné :

— Malheureusement, je sais aussi que cela ne durera pas. Il est normal de tomber amoureux quand on est resté longtemps seul, comme toi et moi. Nous sommes actuellement sous l'influence du phényléthylamine. Tu m'as déjà entendue en parler devant mes étudiants. Nous avons certes vécu une belle histoire d'amour, mais qui tire maintenant à sa fin. Ainsi en a décidé la nature…

— Ecoute, Susan, lança-t-il, je me moque éperdument de cette satanée substance chimique au nom barbare, et je te garantis qu'il ne s'agit pas entre nous d'un feu de paille ou d'une simple aventure !

Ses cheveux souples et dorés bouclaient de nouveau en séchant. On la sentait au bord des larmes, ses grands yeux noisette voilés de chagrin…

— Je t'aime, Susan, et toi aussi tu m'aimes. Ne prétends pas le contraire ; j'en ai eu abondamment la preuve la nuit dernière.

— Non.

Bouleversée, elle n'osait le regarder, lui auquel elle ne pouvait rien refuser quand il la fixait ainsi. Elle bredouilla :

— Quelque chose s'est brisé en moi il y a très longtemps… quelque chose qui m'empêche de faire confiance à quiconque et de former des projets d'avenir. S'il ne nous est pas possible de rester simplement amis, nous devrons cesser de nous voir.

Elle voulut se lever, mais il lui saisit les mains. Les yeux mouillés de larmes, elle lisait le désespoir sur le visage de Tim.

— Je m'attendais bien à ce genre de réaction de ta part, mais pas à des explications aussi oiseuses. Je veux savoir ce qui te fait peur.

— Je n'ai pas peur. Là n'est pas la question.

— Je t'en prie, Suze, dis-moi ce qui t'inquiète.

— C'est ce que je suis en train de faire. J'essaie de te montrer qu'il nous faut en rester là...

— Mais enfin pour quelle raison? s'emporta-t-il.

Très pâle et toute tremblante, elle ravala ses sanglots et d'une voix presque inaudible, elle lui narra alors la triste histoire de ces gens chez qui on l'avait placée, à l'âge de cinq ans, et qui n'avaient pas voulu la garder, malgré tous ses efforts pour se comporter comme une petite fille modèle, sous prétexte que bruns tous les deux, ils voulaient adopter un enfant qui ait leur couleur de cheveux...

— Tu te rends compte, ils ne voulaient pas de moi parce que j'étais blonde!

Perplexe, Tim chercha le lien avec leur discussion présente. De ce flot de paroles, il ressortait qu'elle était désemparée, animée d'un désir irrépressible de s'épancher et d'exorciser les cruels souvenirs qui gâchaient son bonheur. Mais aussi, hélas, trop encline à se culpabiliser et à endosser la responsabilité des échecs qu'elle avait dû subir.

Comment dès lors lui faire entendre raison? Elle pleurait comme une Madeleine, et elle refusait de l'écouter. Ne restait plus qu'une solution: dans un élan du cœur, il l'aida à se relever et il l'enlaça doucement.

Elle renifla et sécha ses larmes. Il captura alors ses lèvres, avec toute la douceur, la rage, la tendresse et l'amour dont il était capable…

Bien lui en prit, car loin de le repousser ou de chercher à s'enfuir, comme il le redoutait, elle lui rendit son baiser avec une passion intacte.

Lorsqu'il s'écarta, tout ébloui et pantelant, elle reprit, d'une voix ferme et assurée :

— Voilà pourquoi je ne veux pas risquer de te faire souffrir davantage. Tu viens enfin de surmonter un vieux chagrin d'amour, ce n'est pas le moment de t'en infliger un autre.

Il s'insurgea, protestant haut et fort du contraire, essayant de lui faire comprendre la profondeur de ses sentiments, mais elle eut soudain ce mot terrible qui lui glaça le sang :

— Je ne suis pas amoureuse de toi, voilà tout.

La clochette tinta quand il poussa la porte du magasin. Il s'approcha du comptoir et sortit son carnet de chèques. Mme Mac Carthy, la fleuriste, occupée dans l'arrière-boutique, se précipita en l'apercevant :

— Bonjour, Tim. Vous venez me régler ?

— Oui.

Selon son habitude, elle mouilla la mine de son crayon avant de faire son addition.

— Dois-je livrer la même chose que la semaine dernière ?

— S'il vous plaît.

— Remarquez, les roses rouges sont moins chères.

— Non, je préfère celles-ci.

— Comme vous voudrez.

Elle prit son chèque et repoussa sa pièce d'identité.

— On nous annonce encore de la neige pour demain, ce qui en soi n'a rien d'étonnant en cette saison. Mais les gens commencent à se lasser du froid, et c'est vrai que l'hiver n'en finit plus.

Mme Mac Carthy lui adressa un bon sourire, et toujours sur le même ton poursuivit :

— Elle reviendra, Tim. Une femme ne demeure jamais insensible à un bouquet de roses...

Il lui restait ensuite à régler au pâtissier la livraison hebdomadaire d'un “Péché Mignon”. Joe lui aussi y alla de son petit couplet :

— C'est une fille sérieuse, ce qui n'est pas si fréquent. Que diriez-vous de lui adresser cette fois des mille-feuilles ?

— Restons-en au Péché Mignon, Joe. Je préfère.

Le libraire, quant à lui, tenait à sa disposition les sept volumes de poésie qu'il avait commandés. Plus discret, celui-ci ne fit aucune allusion à Susan, bien que son assistant ait, de son propre chef, emballé le tout dans du papier rose bonbon fermé d'un ruban rouge...

C'était à désespérer. Toute la ville semblait au courant de ses déboires sentimentaux. Pour un peu, il serait allé au bout du monde pour fuir les commérages.

A défaut de prendre le large, il gagna un centre commercial installé à la périphérie. Nerveux, la gorge sèche et les mains moites, il erra sans but parmi les boutiques de confection féminine, sidéré d'en découvrir autant.

Depuis trois semaines, il multipliait les gestes en direction de Susan, dans l'espoir de la faire revenir sur sa décision. Il avait toujours craint d'essuyer un jour un refus de la part d'une femme. Eh bien, c'était chose faite. Susan l'avait bel et bien éconduit, en déclarant sans ambages ne pas l'aimer. Dans ce cas-là, on n'insiste pas, il le savait, il fallait être fou pour s'acharner de la sorte.

Il était ce fou. Non seulement il refusait de se rendre à

l'évidence, mais il se ridiculisait carrément en public. Car jusqu'alors il n'avait cessé de se heurter à un mur, ses différentes tentatives s'étant toujours soldées par un silence complet de la part de Susan. Ni les roses, ni les gâteaux qu'elle aimait tant naguère ni la poésie, ni même une folle partie de luge au clair de lune, n'avaient suffi à l'attendrir, et il y avait fort à parier que sa nouvelle démarche connaîtrait le même sort...

— Quelle bonne surprise! Je n'aurais jamais pensé vous trouver ici. Puis-je vous être utile?

Tim, qui avait espéré trouver enfin l'anonymat dans ce gigantesque centre commercial, soupira en reconnaissant l'épouse de Harvey Curtis, une petite dame replette au sourire engageant.

— Je ne fais que regarder, répondit-il, maussade.

— Voulez-vous que je vous aide à choisir?

— Non, ce n'est pas la peine.

Il avait sans doute parlé un peu vite. Car, à l'instar de la plupart des hommes, Tim était perdu dès qu'il s'agissait de lingerie féminine. Il voulait quelque chose de soyeux, de coquin et de suggestif, mais il ne savait absolument pas quoi.

— Tim?

Mme Curtis, qui l'avait rejoint, lui sourit gentiment:

— Dites-moi, ce combiné que vous tenez à la main?

Il rougit et le lâcha aussitôt.

— Il est ravissant, je dois dire. Dommage qu'il soit taillé pour quelqu'un de mon gabarit. La pauvre Susan nagerait dedans. Faites-moi confiance, j'ai déjà bien souvent rendu ce genre de service à des messieurs dans votre cas. Voyons d'abord la couleur...

Elle attendit patiemment sa réponse.

— Rouge, dit-il du bout des lèvres.

— Rouge? Ne préféreriez-vous pas un coloris plus discret? Ou bien carrément du noir? demanda bien fort Mme Curtis.

— Non, il faut que ce soit rouge, répondit-il tout bas.
— Voilà qui va nous compliquer un peu la tâche, mais nous finirons bien par trouver ce que vous cherchez. Dites-moi maintenant ce que vous voulez : un bustier, un combiné, une chemise de nuit ?

S'il avait pu, Tim se serait glissé dans un trou de souris. Il chercha des yeux la sortie de secours...

Si pénible et gênant que soit cet épisode, c'était surtout le sentiment de l'inutilité de ses démarches qui l'affectait. Il avait conscience de faire tout cela pour rien, sachant Susan trop fière pour se laisser adoucir par ses cadeaux. Mais il n'en continuait pas moins à lui témoigner ainsi son amour, en attendant de trouver le moyen de la réconquérir...

A première vue, il s'agissait d'une gageure. Cependant, à force de réfléchir à tout ce qu'elle lui avait dit de son passé, il était parvenu à établir un premier diagnostic et à cerner la nature du mal qui la rongeait.

Susan, c'est le moins que l'on puisse dire, n'avait pas été gâtée par la vie. Elle n'avait connu que des déceptions auprès de ceux auxquels elle s'était attachée. Personne ne l'avait vraiment aimée, et par conséquent, elle n'imaginait pas qu'il puisse en être autrement avec lui.

Comment redonner confiance à la femme que l'on aime ? Tel était le problème qui se posait à lui. Comment lui faire comprendre que lui, Tim, ne l'abandonnerait sous aucun prétexte, et que son bonheur — leur bonheur — reposait désormais entre ses mains ?

Jusqu'alors, il avait eu beau retourner la question dans tous les sens, il n'avait pas entrevu l'ombre d'une solution. Mais y en avait-il une ?

N'aurait-elle pas tout simplement dit la vérité en déclarant ne pas l'aimer ? Auquel cas il se dépensait en pure perte et il se ridiculisait chaque jour un peu plus. Chaque matin au réveil, il songeait avec effroi à cette tragique éventualité.

Il avait tellement changé en quatre mois à peine! Depuis qu'il connaissait Susan, il voyait la vie autrement. Tout son système de valeurs s'était trouvé remis en cause. Désormais, en tête de ses priorités figurait le désir d'épouser Susan, oui, et de fonder un foyer avec elle.

Parce que sans elle, il était perdu, et la vie n'était plus qu'un calvaire quotidien. Il en perdait le sommeil, l'appétit, et même ce légendaire sourire avec lequel il accueillait les clients le matin.

Au diable la lingerie et les bustiers de satin rouge. Il avait mieux à faire que de lui offrir des fanfreluches. Mais quoi?

10.

Cinq kilos de moins qu'à Noël... La balance venait de rendre son verdict, particulièrement favorable. Et dire que cela faisait des années qu'elle s'efforçait en vain de perdre du poids, et que par une cruelle ironie il lui avait suffi de rompre avec Tim pour retrouver une taille de guêpe ! A quelque chose, dit-on, malheur est bon...

Susan essuya avec une serviette la buée sur la glace pour mieux s'admirer. Il y avait cependant le revers de la médaille. Son régime draconien, encore aggravé par le manque de sommeil, se payait en retour d'une mine de papier mâché. Livide, les traits tirés, elle avait le visage mangé par de grands cernes bleuâtres...

Enfilant un peignoir, et renonçant à chercher ses chaussons, elle se mit en quête des documents à l'aide desquels elle devait ce soir préparer un sujet d'examen pour ses étudiants. Pour la énième fois, elle tenta de se raisonner. Sa situation n'était pas si tragique ! N'avait-elle pas un travail passionnant, des amis dévoués, un appartement charmant ? Qui dit mieux ? Apparemment, elle avait tout pour être heureuse.

Tout, sauf Tim.

Elle l'avait perdu par sa faute, et depuis, elle broyait du noir. Oh, certes, elle ne pouvait que se féliciter de s'être montrée honnête avec lui. Il avait besoin de quelqu'un pour l'aider à oublier Kay, et c'est ce qu'elle avait fait, sans jamais pour autant s'illusionner sur ce qu'elle représentait réellement à ses yeux, ni oublier que c'était en somme par dépit qu'il s'était entiché d'elle... D'où sa décision de rompre, afin de limiter les dégâts.

Et pourtant... Combien de nuits blanches passées à maudire le sort cruel qui l'avait amenée à chasser de sa vie le seul homme qu'elle ait jamais vraiment aimé, et qui ait paru sincèrement épris d'elle ! Mais l'était-il vraiment ? Là était toute la question. N'avait-elle pas déjà péché par excès de naïveté, avec le résultat que l'on sait ?...

Chaque fois, elle avait réussi à surmonter son chagrin et la vie avait repris son cours. Tel ne semblait pas, hélas, être le cas avec Tim ; sans doute parce que dans sa vie, personne n'avait jamais autant compté que lui, ce grand escogriffe qui avait débarqué sans crier gare et semé le trouble dans son cœur.

Tout aurait normalement dû rentrer dans l'ordre depuis une semaine. Comme on pouvait s'y attendre, il avait cessé de lui envoyer des fleurs, des gâteaux ou de la poésie. En clair, il avait fini par se rendre à l'évidence et par se résigner à la mort de leur brève idylle.

A quoi bon, dès lors, continuer à se morfondre et à verser des larmes de crocodile sur un amour perdu ? Susan avait résolu de tirer un trait sur les événements de ces trois derniers mois, et elle endurait stoïquement cette nouvelle et terrible épreuve.

Elle venait à peine de poser un bloc-notes et un manuel sur son bureau encombré, que retentit la sonnerie du téléphone. Elle décrocha et coinça l'écouteur contre sa joue, tout en feuilletant machinalement le livre.

— Allô?

Comment trouver un crayon dans tout ce désordre? Six stylos à bille rouges étaient alignés devant le sous-main, alors qu'hier encore elle avait remué ciel et terre sans parvenir à en trouver un seul.

— C'est moi, Tim.

Elle sursauta, son cœur se mit à battre la chamade.

— Tu es là?

Elle se racla la gorge.

— Oui.

Il lui fallait absolument rester calme et ne laisser paraître aucune émotion.

— Comment vas-tu?

— Bien. Je t'appelle pour te demander quelque chose.

Sa voix était suave et caressante comme une brise de printemps... Susan était bien trop émotive pour demeurer impassible. Le souvenir poignant des instants de bonheur passés auprès de Tim fit monter des larmes à ses yeux et la troubla au point qu'elle dut lui demander de répéter.

Tim lui parla d'une grotte, située dans le Comté de Palouse, qu'il avait l'intention d'explorer. Ils avaient déjà parlé de spéléologie tous les deux, mais jamais ils n'étaient descendus ensemble sous la terre. Or, c'était précisément ce qu'il voulait.

— Il nous faut nous dépêcher, expliqua-t-il, car le terrain sur lequel elle se trouve doit être vendu prochainement, et nous ne pourrons plus y accéder. Habituellement, ajouta-t-il, je pars en expédition avec deux amis, mais ni l'un ni l'autre ne peuvent se libérer samedi. Alors j'ai pensé à toi, puisqu'il n'est pas question que j'y aille tout seul...

— Non, bien sûr.

Même le plus téméraire des spéléologues ne saurait

enfreindre cette règle d'or qui exige d'être accompagné —sécurité oblige!

Au bout d'un silence, il reprit:

— Je ne t'ai pas appelée tout de suite, car je ne voulais pas donner l'impression de te harceler. Je respecte ta décision, et ce n'est donc pas la peine de me fuir. Mais cela pourrait être l'occasion de se revoir. Il va nous falloir apprendre à devenir amis!

A priori, la proposition était tentante. Les galeries souterraines et les grottes humides et tapissées de lichen ne se prêtent guère aux jeux de l'amour. Ce serait sans doute aussi la meilleure manière de tester ses réactions en face de lui et de voir jusqu'à quel point elle en était encore amoureuse. Tôt ou tard, il lui faudrait supporter de vivre sans lui, et de le rencontrer sans que se déclenche en elle une émotion particulière. Elle ne pouvait pas continuer à se cacher dès qu'elle l'apercevait.

Tim ne semblait pas avoir tant de scrupules. Apparemment, dans son esprit, tout était fini entre eux et il avait mis une croix sur le passé. Il l'invitait simplement à faire équipe avec lui dans une exploration de routine. D'ailleurs, signe qui ne trompe pas, il ne l'appelait plus Suze...

Heureusement, car sinon elle aurait été capable de fondre en larmes!

— Alors, qu'en penses-tu? Es-tu libre samedi?

Susan avait un agenda chargé. Pour ne pas rester seule à broyer du noir, elle sortait beaucoup depuis quelque temps. Aussi n'avait-elle pas moins de trois rendez-vous samedi; à midi, elle avait prévu de déjeuner avec un collègue, en milieu d'après-midi d'aller chez le coiffeur, et le soir elle avait promis de passer chez des étudiants qui organisaient une petite fête.

— Samedi prochain?

— Oui. Je passerai te chercher vers huit heures,

d'accord ? Il nous faut partir de bonne heure, la route est longue.

Ils roulèrent en effet toute la matinée avant d'atteindre la région montagneuse et boisée où abondaient grottes naturelles et mines désaffectées. Susan n'en menait pas large. Affreusement gênée, elle n'avait quasiment pas desserré les dents de tout le trajet, se bornant à contempler d'un œil lugubre le paysage qui défilait devant la vitre. Tim, une fois n'est pas coutume, fut donc le seul à parler. L'air frais et dispos, vêtu de son éternel ensemble jean et chandail de coton, il semblait parfaitement remis de leur séparation et totalement étranger au désespoir qui habitait sa compagne. Laquelle ne soupçonna pas une seconde qu'il puisse jouer la comédie.

Dès leur arrivée, elle sortit faire quelques pas pour se calmer. C'était une journée sinistre : sous un ciel bouché, un vent humide et froid agitait les arbres décharnés.

— Il vaut mieux vérifier notre équipement avant de descendre. A ce qu'il paraît, c'est un vrai dédale... déclara Tim.

— D'accord. C'est donc la première fois que tu viens ici ?

— Oui, répondit-il en mentant, mais cela fait des années que l'on me parle de cet endroit. Après une série d'étranglements et d'à-pic impressionnants, on débouche, paraît-il, sur une rivière souterraine, puis dans une grotte creusée au cœur d'un filon d'argent.

Elle sourit faiblement :

— Hum... méfions-nous des racontars. En général, les grottes de cette région n'ont rien d'exceptionnel. Nous ne sommes pas dans le Kentucky ou dans le Tennessee...

— Est-ce là que tu t'es initiée à la spéléologie ?

— Oui. Ce n'était pas très loin d'Indianapolis.

— Moi, j'ai commencé à pratiquer ce sport dans l'Utah, et ensuite dans le nord de l'Idaho. Sans doute m'a-t-on raconté des histoires à propos de cette grotte, mais je veux en avoir le cœur net.

— Moi aussi, dit Susan, fixant ses genouillères par-dessus son jean.

— Attention, ton harnais de sécurité s'est emmêlé!

Tranquillement, il redressa les sangles de toile qui s'étaient entortillées dans son dos, mais ce simple geste apparemment anodin émut Susan au point de lui donner la chair de poule... Il n'y avait pourtant rien d'équivoque dans son attitude!

— Il commence à neiger. Viens, nous finirons d'arranger ça à l'intérieur.

Elle acquiesça et se glissa à sa suite dans l'entrée de la grotte, masquée par des buissons.

Plongée dans la pénombre, il régnait dans la caverne une atmosphère tiède et douceâtre. Susan déposa son sac et alluma la lampe torche pendant que Tim vérifiait leur équipement. Inspectant les lieux, elle découvrit, non sans angoisse, une grappe de chauves-souris suspendues à la voûte.

— Et dire qu'autrefois j'avais si peur des chauves-souris! C'est ridicule, n'est-ce pas? Mais on raconte tellement d'histoires sur ces pauvres bêtes...

— Comment cela?

Occupé à lui enrouler une corde de nylon autour de la taille, Tim leva un instant les yeux.

— Tu sais bien. On prétend qu'elles sont méchantes et qu'elles transmettent la rage par leurs morsures, alors qu'elles sont pratiquement immunisées contre cette maladie et qu'elles n'attaquent jamais l'homme....

— C'est vrai.

Il effleura sa main; elle rougit aussitôt.

— De même, poursuivit-elle, il est absurde de croire qu'elles s'accrochent aux cheveux. Si elles sont capables de gober un moucheron en plein vol, elles ne risquent pas, en revanche, d'entrer en collision avec un obstacle aussi volumineux qu'une tête.

Elle lui jeta un regard.

— En réalité, elles nous fuient et ne nous gênent absolument pas.

— Je n'y avais pas songé.

Soucieux de ne pas lui faire porter un fardeau trop lourd, Tim modifia ensuite le contenu de leurs paquetages respectifs, troquant les couvertures de survie, très légères, contre les outils, les piles de rechange et la nourriture.

— Les chauves-souris, reprit-elle, sont des animaux craintifs et inoffensifs. D'ailleurs, le plus souvent le mâle et la femelle restent ensemble...

— Susan?...

— Oui.

— Pourquoi ne pas admettre que tu en as une peur bleue?

Médusée, elle écarquilla les yeux; puis elle éclata de rire, pour la première fois depuis des semaines.

— Ne t'inquiète pas, dit-il, elles hivernent en ce moment, et elles vont rester bien sages à dormir sur leur perchoir. A toi l'honneur d'ouvrir la marche, ma chère... Mais avant, voyons si nous n'avons rien oublié...

— Dieu sait que j'ai essayé de m'y habituer! soupira Susan.

— As-tu apporté de la craie? demanda Tim.

— Oui. J'en ai une pleine boîte dans ma poche.

— Pense à marquer notre passage d'une croix. Et surtout, ne force pas. Si tu es fatiguée, fais-moi signe, nous nous arrêterons un moment.

Comme l'alpinisme, la spéléologie suppose une totale confiance et une entente parfaite entre les équipiers, dont le plus expérimenté prend tout naturellement la direction des opérations.

D'ordinaire, c'est à Susan qu'incombait cette responsabilité, mais aujourd'hui elle céda sans rechigner sa place à Tim dont elle reconnut immédiatement l'expérience et la compétence. Avec lui, elle se sentait en parfaite sécurité, et elle serait allée au bout du monde —ou jusqu'au centre de la terre...

Deux précautions valant mieux qu'une, Tim accrocha une bobine de nylon à sa ceinture et attacha l'extrémité du fil à une roche, dans l'entrée. Celui-ci se déroulerait au fur et à mesure de leur progression, traçant ainsi leur chemin de retour.

Susan, devant, en éclaireuse, ils entreprirent donc leur exploration. Ils progressaient lentement, mais très vite la température se réchauffa. La première grotte débouchait sur un goulet d'étranglement. Susan traça une croix sur la paroi rocheuse, puis elle se glissa à quatre pattes à travers le boyau qui aboutissait à un trou d'environ trois mètres de profondeur. Jusqu'alors, rien que de très classique. En trente secondes, Susan fut en bas. Là, trois galeries s'ouvraient devant elle.

Voilà qui aurait dû la réjouir. N'était-ce pas précisément le goût du risque et la fascination de l'inconnu qui la poussaient à pratiquer ce sport assez peu banal et plus périlleux qu'il n'y paraît ? Elle avait toujours été fascinée par la prodigieuse faculté d'adaptation de la vie, qui va se nicher jusque dans les endroits les plus reculés ; or les entrailles de la terre regorgeaient d'espèces animales et végétales. Il y avait là matière à d'infinies réflexions pour l'anthropologue qu'elle était. La nature n'abdiquait jamais et on la retrouvait partout...

Trêve de considérations philosophiques : car elle

n'était pas descendue aujourd'hui avec n'importe qui mais en compagnie de Tim, ce qui changeait tout à l'affaire. Jusqu'à leur rupture du mois précédent, elle n'avait jamais douté de ses théories ni que l'amour ne fût totalement régi par l'action du phényléthylamine. Depuis lors, ses belles certitudes avaient été sérieusement ébranlées... Au point qu'elle était obligée de se retenir pour ne pas se jeter à tout moment dans ses bras!

Une fois encore, elle réussit à se dominer. Elle emprunta la galerie de droite et marqua consciencieusement son passage d'une croix. A la lueur de sa lampe de mineur, elle se fraya un chemin dans les ténèbres. Le conduit conduisait à un puit impressionnant, aux parois moussues et suintantes. Susan s'arrêta près du bord:

— J'ai peur que cela ne mène nulle part, lança-t-elle à Tim.

— C'est possible. Dans ce cas, nous rebrousserons chemin et nous essaierons un autre passage.

— Je sens un courant d'air, pas toi? Mais je ne vois pas d'où ça vient. On ne distingue pas de lumière. Ça alors, il y a encore un autre embranchement!

— Prends à gauche, on ne sait jamais.

— Si tu veux.

Elle traça une nouvelle croix sur la roche, qu'il s'empressa d'effacer ainsi que les précédentes. Courbés en deux, ils s'engagèrent dans les méandres du corridor, tournèrent plusieurs fois, montèrent, descendirent, pour finalement déboucher sur le plat.

— Je n'aurais jamais cru qu'il y ait des grottes aussi profondes dans la région! Oh, regarde! s'exclama Susan.

A ses pieds courait un petit torrent. Elle s'accroupit et braqua sa lampe sur les poissons argentés qui nageaient dans le courant. Tim s'approcha. Immédiatement elle se releva, toujours sur le qui-vive. Ils n'en firent pas moins une brève halte, le temps de grignoter un morceau de chocolat et de boire un café. Susan ne voulait pas s'attarder, pressée à l'entendre de poursuivre leur exploration. Mais Tim n'était pas dupe et devinait parfaitement les raisons de sa précipitation...

Elle promena autour d'elle le faisceau de sa lampe.

— C'est incroyable, nous avons encore deux autres galeries devant nous ! A mon avis, celle de droite, qui remonte un peu, a l'air plus intéressante. En attendant, je m'en vais inscrire une marque sur la paroi. On ne sait jamais...

— Bonne idée.

Mais elle n'eut pas plus tôt le dos tourné qu'il trancha d'un coup de canif le fil de nylon qui se dévidait de la bobine accrochée à son ceinturon... Tim jouait serré, devant tout à la fois suivre pas à pas Susan, pour la guider dans ce labyrinthe, et conserver suffisamment ses distances pour pouvoir effacer tranquillement les marques qu'elle laissait sur la roche.

Susan avançait hardiment, concentrée cependant sur sa progression, en spéléologue avertie qui ne se laisse pas distraire une seconde — les entrailles de la terre recèlent mille dangers ! Elle, au moins, savait ce qu'elle faisait. Il aurait aimé pouvoir en dire autant...

Un rétrécissement leur fit perdre un temps précieux. Ils durent ramper le long d'un boyau en poussant leur équipement devant eux. Après avoir ensuite gravi une pente ils se retrouvèrent devant un nouvel embranchement. Susan voulait tourner à gauche, mais il la persuada de prendre l'autre couloir, qui débouchait sur une vaste grotte. Le grand moment était venu. Le cœur battant, Tim guettait la réaction de Susan. Rien. Il promena alors distraitement le faisceau de sa lampe autour de lui.

— Oh, regarde !

— Quoi ?

Elle se précipita vers la paroi et ôta ses gants pour la toucher. Au milieu de la pierre aride serpentait une veine d'argent... Oui, des tonnes et des tonnes de métal précieux étaient enfouies sous la montagne.

— C'est de l'argent, n'est-ce pas? demanda-t-elle.

— On dirait.

— Mais les mines sont situées beaucoup plus au sud, observa-t-elle.

Il haussa les épaules.

— Si nous suivions la veine?

Il n'eut pas besoin de le répéter. Survoltée, Susan courait littéralement devant, sans que Tim ait le cœur de lui dire que partout dans l'Idaho le sous-sol recélait de l'argent, mais que seuls certains gisements étaient exploitables en terme de rentabilité économique. Susan se souciait comme d'une guigne de l'industrie minière et du cours du lingot à Wall Street. Elle fut donc très déçue en se heurtant bientôt à un cul de sac.

— Il doit être possible de retrouver le filon de l'autre côté, nota Tim, philosophe.

— A supposer qu'il existe un autre passage... Mais voilà longtemps que nous marchons, et j'aimerais bien savoir l'heure.

— Il est encore tôt.

— Penses-tu que nous aurons le temps?...

— Mais oui.

— Alors, allons-y. O, Tim! c'est vraiment le parcours le plus extraordinaire que j'aie jamais fait.

Ils descendirent un petit raidillon, rampèrent un moment sur le dos à travers un boyau resserré, pour déboucher, enfin, dans une grotte connue des amateurs sous le nom de "Palais d'Argent".

Rares sont les spéléologues qui ont la chance de découvrir un endroit pareil. En dix ans de pratique, Tim n'avait jamais rien retrouvé d'équivalent. Songez: une vaste salle de forme pyramidale, d'environ quinze mètres de côté, agréablement ventilée, et creusée surtout au cœur même de l'énorme filon d'argent! Rien n'était plus saisissant en effet que le spectacle de ces parois souterraines étincelant soudain à la lumière de leurs torches.

Comme prévu, Susan était surexcitée.

Et comme prévu, elle ne tarda pas à s'alarmer.

— Je n'avais pas remarqué qu'il y avait trois galeries pratiquement identiques qui conduisaient ici, dit-elle avec une pointe d'inquiétude dans la voix.

Elle inspecta l'entrée de chaque tunnel.

— C'est drôle, je n'arrive pas à retrouver les marques de craie, ajouta-t-elle calmement.

— Ne t'inquiète pas, elles sont là quelque part. Je t'ai vue les tracer, lui dit Tim, rassurant.

Mais ils cherchèrent en vain les croix, qui semblaient s'être effacées comme par magie.

— Bah, fit-elle, ce n'est pas très grave. Nous n'avons qu'à suivre le fil de nylon.

— Mon Dieu!

— Que se passe-t-il?

— Il a dû se couper sur une arête rocheuse, sans que je m'en aperçoive, soupira-t-il en désignant la bobine.

Susan sentit son sang se glacer dans ses veines. Ils avaient pourtant pris toutes les précautions, elle traçant à chaque carrefour des marques à la craie, et lui déroulant le câble de nylon au fur et à mesure de leur progression. Reste qu'elle ne s'était jamais vraiment fiée à ce procédé, sachant qu'à tout instant le fil, si solide soit-il, risquait de se rompre sur un rebord coupant. En principe, elle aurait dû pouvoir retrouver son chemin de mémoire, comme d'habitude. A condition, bien sûr, de ne pas se laisser distraire par son coéquipier...

Hélas ! Depuis le départ, elle ne songeait qu'à lui au détriment de tout le reste, commettant ainsi l'erreur que n'eût jamais dû commettre une spéléologue chevronnée, soucieuse avant tout de ne pas s'égarer.

Ils étaient donc perdus dans cet immense labyrinthe creusé sous la montagne. Sans espoir de secours, personne, nouvelle imprudence, n'ayant été prévenu de leur expédition...

Susan croisa les bras.

— A notre arrivée, te souviens-tu, demanda-t-elle, si cette corniche était sur la gauche ou sur la droite ?

— Il me semble qu'elle était sur la droite.

— Moi, je dirais plutôt le contraire.

Tim se voulut rassurant :

— Il n'y a pas de raison de s'affoler. Il ne nous reste plus qu'à explorer systématiquement ces trois couloirs jusqu'à ce que nous trouvions une marque sur la paroi, expliqua-t-il posément.

L'ennui venait de ce qu'elle avait déjà regardé et rien vu du tout... Pourtant, elle était certaine d'avoir marqué une croix sur la pierre.

— Tu as raison, dit-elle, nous finirons bien par les voir. C'est la fatigue, je pense.

— Si nous faisions une halte ? proposa Tim.

Il lui ôta son paquetage, y compris les sangles passées autour de ses épaules, avant de se décharger lui même. Susan alluma une bougie puis éteignit sa lampe, par mesure d'économie. Tim déroula ensuite une couverture sur le sable.

— Dans ce genre de situation, expliqua-t-il, il vaut mieux se préparer au pire...

— Oui, tu as raison. Voyons d'abord l'éclairage.

Elle enleva sa veste :

— Nous avons chacun la lampe fixée à notre casque, plus une torche électrique et trois bougies dans notre sac...

— Bon, de ce côté-là, il n'y a pas lieu de s'alarmer dans l'immédiat. Nous reste-t-il des provisions?

Elle fouilla dans sa musette.

— Oui. Avec les biscuits salés, les raisins secs et le chocolat, nous pouvons tenir au moins vingt-quatre heures. Il y a encore un demi-litre de café dans la bouteille thermos, et nous n'avons pas touché à nos bidons d'eau fraîche.

A première vue, donc, il n'y avait pas lieu de s'affoler.

— Avant tout, ne nous énervons pas! déclara-t-elle fièrement.

Son regard la trahit.

— Viens ici, Susan.

— Veux-tu du café?

— Je t'ai dit de venir.

Assis sur la couverture, Tim ouvrit son blouson et allongea les jambes. Susan s'agenouilla timidement auprès de lui. Il avait de la terre sur la joue, et les cheveux collés par son casque en plastique.

Jusqu'alors, elle avait évité de l'approcher de près, redoutant de ne plus être capable de se contrôler. A présent, elle admirait son courage et son sang-froid...

— Tu as peur, dit-il doucement, je le vois bien. Examinons calmement les faits, en procédant par élimination. Nous avons de l'air, de la lumière, de l'eau et de la nourriture...

— Oui.

— Evidemment, il peut toujours se produire un éboulement... ajouta-t-il, pince-sans-rire.

— Certes.

— Ou l'un de nous peut se blesser.

— Oui.

— En mettant les choses au pire, nous pouvons rester prisonniers ici à tout jamais...

Cette fois, elle ne dit rien.

Elle était tout à la fois saisie d'angoisse et brûlante de désir. Ce n'était pourtant pas les paroles de Tim qui l'effrayaient. Quitte à tourner en rond pendant un jour ou deux dans ce labyrinthe, elle savait qu'ils finiraient bien par ressortir tôt ou tard à l'air libre. Ses craintes étaient ailleurs. C'est alors que Susan comprit que pour elle la pire des tragédies n'était pas de mourir au fond du labyrinthe mais de risquer de perdre Tim en retournant à l'air libre.

Elle en était follement amoureuse, voilà la vérité. Dieu sait pourtant qu'elle avait essuyé des échecs cuisants dans le passé, et qu'elle s'était bien juré de ne pas répéter ce genre d'expérience.

— Suze ?

Voilà si longtemps qu'il ne l'avait pas appelée ainsi... Le sang recommença à circuler dans ses veines. Le cœur léger, elle eut soudain envie de danser.

— Je t'assure, ma chérie, il n'y a pas de quoi s'affoler.

Il lui prit la main et la posa sur son épaule.

— Au pire, enchaîna-t-il, nous nous sommes égarés. Mais fais-moi confiance, nous allons nous en sortir. Pour toi, je ferais l'impossible.

Il cueillit un tendre et suave baiser sur ses lèvres.

— Tu n'es pas seule, Suze, et tu ne le seras plus jamais. Je te le promets.

— Tim ?

A la lueur vacillante de la bougie, qui semait d'ombres et de reflets les parois argentées, Tim la couvait d'un regard brûlant. Il sema une pluie de baisers sur sa gorge et au pli de son cou. Un frisson de volupté cambra ses reins...

— Tim ? répéta-t-elle.

— Oui ?

— J'ai l'impression que tu connais cet endroit.

— Un peu...

Il l'aida à se déchausser, ôta lui-même ses bottes, puis il déroula une seconde couverture pour Susan.

Susan que bientôt il dénuderait entièrement.

— A quel point connais-tu cet endroit ?

— Hum ?

Il découvrit avec ravissement des petits dessous de dentelles et de satin rose.

— Réponds-moi.

— Je pourrais retrouver la sortie les yeux bandés et les mains liées derrière le dos. J'ai choisi exprès de compliquer les choses. Il existe un chemin beaucoup plus court.

— Tu m'as fait croire que nous nous étions perdus !

— Oui.

— Ce n'est pas très honnête, ni très gentil...

— Je sais... Mais vois-tu, je ne le regrette pas, Suze, au contraire...

— Crois-tu qu'il me soit encore possible de te faire confiance ?

— Oui.

— Et de t'aimer ?

— Oui.

— C'est vrai, Tim, je t'aime.

— Il y a longtemps que je le sais, et je vais encore t'en réclamer la preuve... Mmm, il n'y a pas de boutons à ton chandail : voilà qui simplifie les choses...

Un sourire dansait sur ses lèvres. Folle de joie, Susan se pendit à son cou et l'embrassa éperdument. Les ténèbres brusquement se dissipaient, un avenir merveilleux se dessinait devant elle, elle n'osait croire à son bonheur. Tim, qui lui avait paru indifférent, Tim pour qui battait son cœur et qu'elle croyait avoir perdu à tout jamais, Tim, donc, avait usé de ce savant stratagème pour la reconquérir...

Ils se déshabillèrent, animés tous les deux de la même

impatience. Peau contre peau, assoiffés de caresses, ils s'abandonnèrent enfin au désir qu'ils avaient l'un de l'autre.

— Ne me chasse plus jamais, Susan. Tu es tout ce que je désire. Sans toi, je ne saurais continuer à exister... murmura-t-il.

L'heure n'était plus aux paroles. Sur la paroi argentée, deux ombres se confondirent, celle d'un grand gaillard et de sa frêle compagne, soudés l'un à l'autre par la force d'un sentiment invincible...

Passionnément, il murmura son nom. Oh, ce n'était pas la première fois. Mais aujourd'hui elle ne doutait plus ; non, elle entendait désormais la promesse d'amour qui y était contenue. Il l'embrassa avec cette tendresse sauvage propre à l'amour. Jusqu'alors, elle avait préféré fermer les yeux. Plus maintenant. Et elle sombra tout entière, les yeux ouverts, au creux de cette ardente et interminable étreinte.

La magie opérait à fond. Le rêve prenait corps. Ce n'était plus une illusion. Un bonheur bien réel, terrible et délicieux, s'offrait à elle... C'était lui qu'elle voulait, lui, Tim, à jamais, encore, maintenant, vite...

Il la serra plus fort, et bientôt ils ne firent plus qu'un. Un appétit farouche et insatiable présidait à ces retrouvailles exaltées. Puis, d'un même élan, ils s'envolèrent sur les ailes du plaisir, toujours plus haut, jusqu'au moment suprême où elle balbutia son nom, ivre de joie, comblée d'amour, enfin heureuse, entre les bras de son beau fiancé...

— Je t'aime, Tim...

Il encadra son visage de ses mains.

— Moi aussi, je t'aime. Ne l'oublie jamais, ma chérie...

Un silence ému accompagna ces aveux réciproques. Transportés d'allégresse, ils se dévoraient des yeux en souriant.

Elle lui posa un doigt sur la bouche.

— Vas-tu enfin te décider à m'épouser, ou allons-nous vivre en concubinage jusqu'à la fin de nos jours?

Il lui mordilla le doigt.

— Voilà une question bien directe, de la part de quelqu'un qui ne voulait pas entendre parler de projets matrimoniaux... On dirait soudain que tu n'as plus peur...

— Non, au contraire... susurra-t-elle en l'accablant de baisers.

— Tu es décidément une femme paradoxale, ma chérie. Les roses te laissent indifférente, mais tu ne peux résister à un dîner brûlé et voilà que maintenant tu me récompenses de t'avoir joué ce petit tour...

— Ce n'est pas contradictoire, Tim. J'adore les roses, et je t'adore toi aussi.

— Dois-je en conclure que tu ne me parleras plus jamais de ce satané phényl... éthylamine — ouf! —, censé condamner l'amour à brève échéance?

— Faut-il vraiment que je te réponde?

— S'il te plaît, ma chérie.

— Nous nous aimons, Tim. Nous vivrons désormais ensemble, l'un pour l'autre, et plus rien ni personne ne saurait nous séparer. Voilà. Mais assez parlé...

— Je suis bien d'accord.

— Viens...

En **septembre**, en **octobre** et en **novembre**,
ne manquez pas l'offre irrésistible de

Tous les détails de cette offre sont
disponibles dès maintenant partout où
les livres Harlequin sont vendus.

Pour participer, collectionnez les preuves d'achat
insérées dans tous les romans Harlequin de
septembre, d'octobre et de novembre.

C'EST À NE PAS MANQUER!

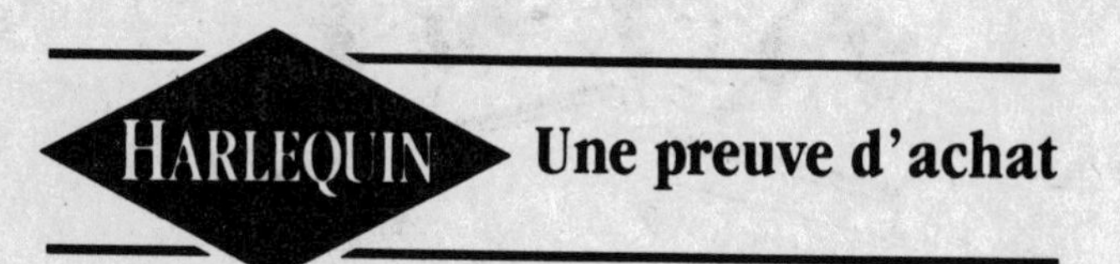

LWPS-R

Composé par Eurocomposition, Sèvres
Achevé d'imprimer en juillet 1989
sur les presses de Elsnerdruck
pour le compte des éditions Harlequin

N° d'éditeur : 2659
Dépôt légal : août 1989

Imprimé en R.F.A.